D1649943

Dello stesso autore in edizione TEA:

I casi di Precious Ramotswe
Le lacrime della giraffa
Morale e belle ragazze
Un peana per le zebre
Il tè è sempre una soluzione
Un gruppo di allegre signore

I casi di Isabel Dalhousie
Il club dei filosofi dilettanti
Amici, amanti, cioccolato
Il piacere sottile della pioggia

Alexander McCall Smith

Amici, amanti, cioccolato

Romanzo

Traduzione di
Giovanni Garbellini

www.InfiniteStorie.it
il grande portale del romanzo

TEA – Tascabili degli Editori Associati S.p.A., Milano
Gruppo editoriale Mauri Spagnol
www.tealibri.it

Titolo originale
Friends, Lovers, Chocolate

Prima edizione TEADUE gennaio 2008
Quarta edizione TEADUE giugno 2009

Ad Angus e Fiona Foster

1

L'uomo con il cappotto marrone (un doppiopetto in Harris tweed con tre bottoni di pelle ai polsi) scendeva lentamente lungo la via che formava la dorsale di Edimburgo. Si era già accorto dei gabbiani arrivati dalla costa, che piombavano in picchiata sul selciato a raccogliere i resti lasciati cadere da qualche sbadato mangiatore di pesce. I loro versi erano il rumore più forte che si udiva nella via in quel momento; il traffico era ridotto e la città stranamente tranquilla. Era ottobre, metà mattina, c'era poca gente in giro. Dall'altra parte della strada, un ragazzino trasandato con i capelli arruffati si trascinava dietro un cane legato a un guinzaglio di fortuna, ricavato da un pezzo di corda. La bestia, un piccolo terrier scozzese che non sembrava troppo entusiasta di seguire il suo padroncino, per un istante guardò l'uomo come per implorarlo di intervenire e porre fine a quel supplizio. Dovrebbe esserci un santo per i cani in quelle condizioni, pensò l'uomo. E uno per quelli alla catena.

Raggiunse l'incrocio con St Mary Street. Sull'angolo alla sua destra c'era il World's End, un pub ritrovo di violinisti e cantanti folk; a sinistra, Jeffrey Street faceva una curva e s'inabissava sotto la grande arcata del North Bridge. Attraverso lo spazio vuoto che separava i palazzi si vedevano le bandiere in alto al Balmoral Hotel: la croce di Sant'Andrea, bianca su sfondo blu, vessillo di Scozia, e le inconfondibili strisce diagonali dell'Union Jack. Da nord soffiava forte il vento del Fife, che faceva garrire orgogliose le bandiere sull'asta, come quelle della prua di una nave che fendesse l'aria. Ecco, pensò, cos'era la Scozia: un piccolo vascello puntato verso il mare. Un guscio di noce sballottato dal vento.

Attraversò la strada e continuò a scendere per la collina. Passò sotto l'insegna dorata di un pescivendolo, che faceva bella mostra di sé nella via, accanto a un vicolo cieco, uno di quegli stretti cunicoli di pietra che dalla strada s'inoltravano sotto i caseggiati. E poi giunse alla sua meta, vicino alla Canongate Kirk, la chiesa dall'alto timpano a pochi passi da High Street. In cima alla facciata, che si stagliava spoglia contro l'azzurro chiaro del cielo, lo stemma della chiesa: corna di cervo dorate con una croce, ugualmente d'oro, sullo sfondo.

Oltrepassò il cancello e guardò in alto. Sembra di essere in Olanda, pensò, fissando il timpano. Ma troppi particolari gli ricordavano che si trovava in Scozia: il vento, il cielo, la pietra grigia. Ora davanti a sé aveva quel che era venuto a vedere, la lapide cui faceva visita ogni anno nella stessa data, il giorno in cui era morto il poeta, a soli ventiquattro anni. Attraversò il prato fino alla pietra, la cui forma riprendeva il timpano della chiesa, le lettere ancora nitide dopo duecento anni. La posa l'aveva pagata Robert Burns in persona, in omaggio all'altro figlio delle Muse, e aveva composto anche i versi dell'iscrizione: *Pallida Scozia, questa nuda pietra ti invita / a piangere dolente le ceneri del tuo poeta.*

Rimase immobile. Nel cimitero, anche altri avrebbero meritato una visita. Lì aveva la sua lapide Adam Smith, che aveva dedicato i propri giorni allo studio del mercato e dell'economia e che aveva concepito una nuova scienza.

Era ben più imponente dell'altra, la sua, più decorata: ma era la lapide del poeta a strappare una lacrima.

Infilò una mano nella tasca del cappotto e ne estrasse un taccuino nero, di quelli millantati dalla pubblicità come impermeabili. Lo aprì e declamò i versi che aveva trascritto, copiandoli da una raccolta di poesie di Robert Garioch. Lesse a voce bassa, anche se non c'era nessuno, a parte lui e il defunto:

Il cimitero della chiesa di Canongate a fine d'anno
vecchio e grigio, i piccoli roseti spogli,
cinque gabbiani bianchi nell'aria sporca cogli.
Perché son qui? Niente da fare qui hanno
e noi, perché siam qui, noi?

Sì, pensò l'uomo. Perché son qui, io? Perché ammiro quest'uomo, Robert Fergusson, che scrisse parole tanto belle nei pochi anni che gli furono concessi. Bisogna proprio che qualcuno venga qui ogni anno a ricordarlo, in questa ricorrenza. E quella, si disse, sarebbe stata l'ultima volta che l'avrebbe fatto. La sua ultima visita. Se le previsioni erano giuste, a meno di sviluppi imprevisti che gli parevano improbabili, sarebbe stato il suo ultimo pellegrinaggio.

Abbassò di nuovo lo sguardo sul taccuino. Continuò a declamare. I versi cesellati vennero raccolti dal vento e portati via:

Autentico dolore, dolore forte
mi strazia il cuore. Prendetela alla leggera se osate:
qui Robert Burns la terra si inginocchiò a baciare.

Fece un passo indietro. Non c'era nessuno a vedere le lacrime che gli erano salite agli occhi, ma se le asciugò imbarazzato. *Autentico dolore, dolore forte.* Sì. Fece un cenno di saluto con la testa in direzione della lapide e si girò: fu allora che arrivò la donna, risalendo di corsa il sentiero. La vide inciampare e quasi cadere quando un tacco le rimase incastrato in una fessura tra due pietre, e si lasciò sfuggire un grido. Lei, però, riuscì a tenersi in piedi e lo raggiunse sbracciandosi.

«Ian, Ian.» Aveva il fiatone. Capì subito che notizie gli portava e la guardò, serio. «Sì» gli disse lei. Poi gli sorrise e si protese in avanti ad abbracciarlo.

«Quando?» chiese lui, ficcandosi il taccuino in tasca.

«Ora, subito. Immediatamente. Ti ci accompagnano adesso.»

Si avviarono di nuovo lungo il sentiero, allontanandosi dalla lapide. L'avevano avvertito di non correre, ma tanto non ci sarebbe riuscito; dopo pochissimo gli mancava il fiato. In piano, però, camminava piuttosto svelto e ben presto raggiunsero il cancello della chiesa, dove li attendeva già il taxi nero.

«Comunque vada» disse lui entrando nell'auto, «torna qui al posto mio. È l'unica cosa che faccio tutti gli anni. Vienici in questa data.»

«Ci tornerai tu, l'anno prossimo» rispose lei, prendendogli la mano.

Dalla parte opposta di Edimburgo, in un'altra stagione, Cat, una bella ragazza di circa venticinque anni, era sulla porta della casa di Isabel Dalhousie, con il dito sul campanello. Fissò i muri con le pietre a vista. In alcuni punti, notò, erano sempre più scolorite. Nel frontone triangolare sopra la finestra della camera di sua zia si stavano leggermente sfaldando, e qua e là iniziavano a perdere pezzi, come una crosta aperta sotto cui si intravedeva la carne viva. Quel lento declino aveva un suo fascino: a una casa, come a ogni altra cosa, non si doveva negare la dignità di poter invecchiare secondo natura... Sempre entro limiti ragionevoli, chiaro.

Per il resto, era in buone condizioni, una dimora discreta e simpatica, nonostante le dimensioni imponenti. Era famosa, inoltre, per l'ospitalità della proprietaria. Chiunque venisse in visita – a prescindere dallo scopo – era accolto con cortesia, e a seconda della stagione gli veniva offerto un bicchiere di vino; bianco secco in primavera e d'estate, rosso d'autunno e d'inverno. Agli ospiti si prestava attenzione, anche in questo caso con cortesia, perché Isabel credeva con fermezza nel dovere di offrire sostegno morale al prossimo, chiunque fosse. Era, insomma, profondamente egalitaria, anche se non in modo indiscriminato come tanti moderni filosofi amorali, che finivano per trascurare le differenze più profonde tra le persone: bene e male non sono la stessa cosa, avrebbe detto Isabel. Era a disagio di fronte ai relativisti a tutti i costi, sempre propensi a sospendere il giudizio. Quando qualcosa va giudicato, diceva lei, bisogna farlo.

Isabel, laureata in filosofia, lavorava part time come direttrice della «Rivista di etica applicata». Non era un lavoro molto impegnativo, le lasciava parecchio tempo libero ed era pagato poco; anzi, su suggerimento della stessa Isabel, la rivista aveva affrontato l'aumento dei costi di produzione riducendole lo stipendio. Non che quei soldi le importassero: la parte della Louisiana and Gulf Land Company che le aveva lasciato sua madre – la sua «santa madre americana», come la chiamava lei – le forniva assai più del necessario. Insomma, Isabel era ricca, anche se lei non amava usare quel termine, soprattutto riferito a se stessa. Le ricchezze materiali la lasciavano indifferente, anche se seguiva con attenzione quelli che definiva – con la modestia che le era propria – i suoi «piccoli» progetti di donazione, in realtà piuttosto generosi.

«E cosa sono questi progetti?» le aveva chiesto una volta Cat.

Isabel aveva fatto una faccia imbarazzata. «Opere di bene. Suppongo le si possa chiamare così. Carità, se preferisci una parola sola. Tra l'altro è una parola interessante, carità... Ma di solito non mi piace parlarne.»

Cat aveva aggrottato la fronte. Ogni tanto certi atteggiamenti della zia la lasciavano perplessa. Se si facevano delle donazioni, perché non dirlo?

«Bisogna essere discreti» aveva spiegato Isabel. Non amava fare tanti giri di parole, ma soprattutto era convinta che non bisognasse mai parlare delle proprie buone azioni. Se chi compiva un'opera di bene lo sottolineava, era come se si autoincensasse. Era quello che non le andava a genio dell'elenco dei donatori riportato sui programmi delle opere liriche. Avrebbero lo stesso fatto un'offerta, quei munifici mecenati, se nel programma non ci fosse stata traccia della loro generosità? Secondo Isabel in molti casi la risposta sarebbe stata no. Certo, se l'unico modo per raccogliere fondi a favore delle arti era fare appello alla vanità altrui, allora forse ne valeva la pena. Il suo nome, però, in elenchi del genere non compariva mai, e la cosa a Edimburgo non era passata inosservata.

«È taccagna» si mormorava. «Non scuce un centesimo.»

Ovviamente si sbagliavano di grosso, come capita spesso alle persone poco caritatevoli. Un anno Isabel, senza comparire in nessun programma, in aggiunta alle altre donazioni, aveva sovvenzionato la Scottish Opera con una somma di ottomila sterline, tremila delle quali per finanziare una produzione di *Hansel e Gretel*. Le altre cinquemila avevano contribuito a garantire la presenza di un ottimo tenore italiano per una rappresentazione della *Cavalleria rusticana*, una messa in scena straniante in abiti anni Trenta, con tanto di fascisti in camicia nera a formare il coro.

«Hanno cantato benissimo, i vostri 'fascisti'» si era complimentata Isabel durante la festa dopo lo spettacolo.

«A loro piace tantissimo vestirsi così» le aveva risposto il maestro. «Sarà l'abitudine alla coralità, ho il sospetto.»

A quella battuta era calato il gelo. L'avevano sentita anche alcuni dei «fascisti» e il direttore si era affrettato ad aggiungere: «Solamente in modo marginale, però». Poi aveva abbassato lo sguardo sul bicchiere di vino che teneva in mano. «Anzi, forse no. Forse no.»

«I soldi» disse Cat. «Ecco il problema. I soldi.»

Isabel le allungò un bicchiere di vino. «È sempre così» commentò lei.

«Sì» proseguì Cat. «Immagino che se fossi pronta a tirar fuori una bella cifra riuscirei a trovare qualcuno in grado di sostituirmi. Ma non posso. Devo comportarmi in modo professionale, non posso rimetterci.»

Isabel annuì. Cat era proprietaria di una gastronomia a pochi isolati di distanza, a Bruntsfield, e anche se gli affari andavano bene la ragazza sapeva che il confine tra profitto e fallimento poteva essere molto sottile. Al momento aveva un solo dipendente a tempo pieno, Eddie, un ragazzo che, a parere di Isabel, sembrava quasi sempre sull'orlo delle lacrime, angosciato da qualcosa che

Cat non sapeva o di cui non voleva parlare. Gli si poteva affidare la gestione del negozio per brevi periodi, ma per una settimana intera, no di certo.

«Si fa prendere dal panico» aveva detto Cat. «Quando è investito di troppa responsabilità, va in tilt.»

Era stata invitata a un matrimonio in Italia insieme ai suoi amici, spiegò a Isabel, e ci teneva ad andare. La cerimonia era a Messina. Poi sarebbero risaliti verso nord, passando una settimana in una casa in affitto in Umbria. Era il periodo ideale: le previsioni prospettavano un tempo splendido.

«Devo andarci» disse Cat. «Non posso mancare.»

Isabel sorrise. Cat non gliel'avrebbe mai domandato espressamente, ma la richiesta era sottintesa. «Be'...» iniziò. «Direi che potrei rifarlo. L'ultima volta mi è piaciuto. E poi, se ti ricordi, ho incassato più del normale. I guadagni sono aumentati.»

«Avrai sparato cifre da capogiro» azzardò Cat, divertita. S'interruppe, prima di proseguire: «Non ho sollevato l'argomento per chiederti questo favore... Non ti devi sentire obbligata».

«Certo che no» ribatté Isabel.

«Però mi faresti un gran piacere» aggiunse subito la ragazza. «Sai già come funziona tutto quanto. E a Eddie sei simpatica.»

Isabel fu sorpresa. Eddie si era fatto un'opinione su di lei? Quasi non le rivolgeva la parola, e di sicuro non le aveva mai sorriso. Il pensiero di andargli a genio le fece piacere. Forse si sarebbe confidato con lei, come aveva fatto con Cat, e magari avrebbe potuto aiutarlo in qualche modo. Oppure poteva metterlo in contatto con qualcuno in grado di aiutarlo a risolvere i suoi problemi. Avrebbe potuto pagare lei, nel caso.

Si accordarono sui particolari. Cat sarebbe partita di lì a dieci giorni. Isabel poteva andare in negozio qualche giorno prima per il passaggio delle consegne, per prendere i registri e verificare cosa c'era in magazzino. Durante l'assenza della nipote erano previste consegne di vino e salame, e bisognava che se ne occupasse lei. Poi c'era la questione della pulizia dei piani di lavoro, una procedura complicata soggetta a una serie infinita di regole e regolette. Eddie le conosceva bene, ma bisognava tenerlo d'occhio: aveva un rapporto conflittuale con le olive e spesso le metteva nei contenitori destinati all'insalata di cavolo.

«Sarà molto più difficile che dirigere la 'Rivista di etica applicata'» disse Cat con un sorriso. «Difficilissimo.»

Potrebbe anche darsi, pensò Isabel senza dirlo. Occuparsi della redazione di una rivista era più che altro un lavoro ripetitivo: bisognava spedire lettere ai revisori e al comitato scientifico, e concordare le scadenze con i grafici e gli stampatori. Tutta roba prosaica. Leggere i saggi e discuterne con gli autori era un'altra faccenda, per quello ci volevano le giuste competenze e una buona dose di tatto. In base alla sua esperienza, gli autori scartati se la legavano al dito quasi sempre. Anzi, più inadeguato o eccentrico era il loro scritto – molti lo erano –, più i saggisti si imbufalivano. Uno di questi autori, o meglio il suo articolo, ce l'aveva sotto gli occhi proprio in quel momento. *La correttezza del vizio*: il titolo le ricordava quello di un libro che aveva recensito da poco, *Elogio del peccato*. Quest'ultimo, però, era una seria indagine sui limiti del moralismo, che in conclusione si schierava a favore della virtù; *La correttezza del vizio*, invece, della virtù se ne faceva un baffo. Trattava dei presunti benefici che il vizio poteva apportare al carattere, posto che si agisse seguendo i propri desideri. Non era una posizione del tutto insostenibile, secondo Isabel, a patto che si trattasse di vizi tollerabili: la passione per il bere, l'ingordigia e così via. Ma che argomentazioni si potevano trovare a favore delle nefandezze elencate in quel saggio? Nessuna, pensava Isabel. Chi poteva propugnare... ripassò mentalmente alcuni dei vizi esaminati dall'autore, ma si fermò. Con tutti i loro nomi latini, quelle perversioni meritavano pochissima considerazione. La gente faceva davvero cose del genere? Certo che sì, supponeva Isabel; ma dubitava seriamente che si aspettassero che un filosofo si ergesse a loro difensore. E invece, eccolo lì, il cattedratico australiano che si era assunto proprio quel compito. Be', lei aveva delle responsabilità nei confronti dei lettori. Non poteva difendere l'indifendibile. Avrebbe rimandato indietro l'articolo con una breve nota: «Caro professore, mi dispiace, ma non possiamo proprio pubblicarla. Ci sono persone che s'indignano di fronte a cose del genere, sa? E darebbero la colpa a me di quello che ha scritto lei. Mi creda. Cordiali saluti, Isabel Dalhousie».

Mise da parte i pensieri viziosi e tornò a rivolgere l'attenzione a Cat. «Può essere difficile» disse. «Ma credo che ce la farò.»

«Puoi sempre rifiutare» disse la nipote.

«Posso, ma non ci penso proprio. Va' pure al matrimonio.»

Cat sorrise. «Prima o poi ricambierò il favore. Mi trasformerò in te per qualche settimana, così potrai andare via.»

«Non potrai mai diventare me» ribatté Isabel. «E io non potrò mai trasformarmi in te. Non si arriva mai a conoscere gli altri abbastanza da vestire i loro panni. Forse ne siamo convinti, ma in realtà non è così.»

«Hai capito cosa intendo» replicò Cat. «Durante la tua assenza verrò a stare qui, risponderò alle lettere e mi occuperò di tutto il resto.»

Isabel annuì. «Lo terrò presente. Ma non devi preoccuparti di ricambiare. Mi sa tanto che mi divertirò.»

«Certo» concordò Cat. «Ti piaceranno i clienti... alcuni, almeno.»

Cat si fermò da lei, e consumarono una cena leggera nella stanza che dava sul giardino, godendosi gli ultimi raggi di sole. Era giugno, mancava poco al solstizio, e a Edimburgo praticamente non faceva mai buio, neppure a mezzanotte. Si era fatta sospirare, l'estate, ma ora che era arrivata le giornate erano lunghe e tiepide.

«Con questo tempo non ho voglia di fare niente» confessò Isabel a Cat. «Lavorare nel tuo negozio è proprio quel che mi ci vuole per svegliarmi un po'.»

«E l'Italia è quel che ci vuole a me per tirare un po' il fiato» rispose Cat. «Non che mi aspetti un matrimonio tranquillo, tutt'altro.»

Isabel s'informò: quale amica di Cat si sposava? Alcuni amici della nipote li conosceva, ma tendeva a confonderli. Troppe Kirsty e troppi Craig, pensava Isabel. Le sembravano tutti praticamente intercambiabili.

«Kirsty» rispose Cat. «L'hai vista insieme a me un paio di volte, credo.»

«Ah, Kirsty.»

«L'anno scorso, quando insegnava inglese a Catania, ha conosciuto un italiano. Si sono innamorati ed è iniziato tutto lì.»

Isabel restò in silenzio per un istante. Anche lei si era innamorata di John Liamor, a Cambridge, tanti anni prima. Era iniziato tutto lì. Aveva tollerato le sue scappatelle, finché non ce l'aveva fatta più. Ma tutte quelle Kirsty erano troppo sveglie: non avrebbero fatto la scelta sbagliata.

«Che mestiere fa?» chiese Isabel. Se l'aspettava quasi, che Cat non lo sapesse. Il disinteresse della nipote per quello che faceva la gente non mancava mai di stupirla. Per Isabel era un'informazione di fondamentale importanza, se si voleva cominciare a capire il prossimo.

Cat sorrise. «Kirsty non lo sa di preciso. So che la cosa ti sorprenderà, ma ogni volta che gliel'ha chiesto, Salvatore ha dato risposte evasive. Dice di essere una specie di imprenditore, che lavora per suo padre. Ma lei non riesce a scoprire di che tipo di azienda si tratti esattamente.»

Isabel fissò Cat, basita. Le fu subito chiaro quali fossero gli affari del padre di Salvatore.

«E non le importa?» indagò. «È disposta ugualmente a sposarlo?»

«Perché no?» disse Cat. «Se non sai cosa fa una persona in ufficio, non vuol dire che non la devi sposare.»

«E se l'ufficio è... il covo di una banda che va a riscuotere il pizzo? Cosa ne pensi?»

Cat si mise a ridere. «Estorsioni, dici? Non essere ridicola. Niente fa pensare che si tratti di quello.»

Se qualcuno è ridicolo, si disse Isabel, di certo non sono io.

«Cat, stanno in Italia» proseguì abbassando la voce. «Nell'Italia del Sud, quando non si vuol dire che mestiere si fa, il significato è uno solo. Criminalità organizzata. È così. E l'attività criminosa più comune è l'estorsione.»

Cat fissò sua zia. «Sciocchezze. Hai troppa immaginazione.»

«E Kirsty invece ne ha troppo poca» replicò Isabel.

«Come fa anche solo a pensare di sposare una persona che le nasconde un particolare del genere? Io non potrei mai sposare un criminale.»

«Salvatore non è un criminale» disse Cat. «È simpatico. L'ho visto diverse volte e mi ha fatto una buona impressione.»

Isabel abbassò gli occhi. Un'affermazione del genere era l'ennesima riprova: sua nipote era incapace di distinguere gli uomini per bene da quelli da evitare. La sua amica Kirsty stava per andare incontro a una bella sorpresa... Lui voleva di sicuro una moglie compiacente che non facesse troppe domande, pronta a girarsi dall'altra parte mentre lui trafficava con i suoi compari. Questo, una scozzese difficilmente l'avrebbe capito. Forse si aspettava la parità, voleva essere tenuta in considerazione, cose che il buon Salvatore certo non le avrebbe concesso, una volta sposati. Si profilava un bel disastro all'orizzonte, e a Isabel sembrava che Cat proprio non se ne accorgesse, così come non era riuscita a capire le vere intenzioni di Toby, il suo ex, con quell'aspetto da porcellana di Lladró e i pantaloni di velluto color fragola. Forse anche Cat sarebbe tornata da quel viaggio con un affascinante uomo italiano. Quello sì, sarebbe stato un bel colpo.

2

Per i concerti alla Queen's Hall, Isabel aveva una sua strategia. Visto che la sala in origine era una chiesa, la galleria superiore, lungo i tre lati, era studiata appositamente per essere scomoda. La Chiesa scozzese aveva sempre coltivato la convinzione che bisognasse stare seduti con la schiena ben dritta, soprattutto quando il pastore predicava, e a questo principio si conformava tutta l'architettura religiosa. I posti del piano superiore, perciò, non offrivano alcuna speranza di stare comodi, appoggiandosi all'indietro o in qualsiasi altro modo. Per questo motivo Isabel andava a sentire i concerti alla Queen's Hall soltanto se riusciva a trovare un posto nella navata principale della chiesa, dove erano state sistemate sedie invece delle panche; e voleva stare nelle prime file, da cui si riusciva a vedere abbastanza bene il palco.

Il biglietto, per quella sera, gliel'aveva procurato il suo amico Jamie, che conosceva bene le sue esigenze.

«Sei in terza fila» le aveva detto al telefono. «Il posto sul corridoio. È perfetto.»

«E vicino a me chi c'è?» aveva chiesto Isabel. «Per la perfezione ci vuole un vicino gradevole.»

Jamie si era messo a ridere. «Una persona eccezionale. Almeno, questa era la mia richiesta.»

«L'ultima volta che sono stata alla Queen's Hall, mi sono ritrovata accanto a quel tizio bizzarro che frequenta la

National Library» aveva proseguito Isabel. «Hai presente, il grande esperto di toponimi delle Highlands. Non fa che agitarsi tutto nervoso. Nessuno vuole sedersi vicino a lui. Ho sentito che durante un concerto della Scottish Chamber Orchestra qualcuno gli ha dato una botta in testa con un programma arrotolato, da tanto era fastidioso. Imperdonabile, certo, ma è una reazione comprensibile. Io, però, non ho mai picchiato nessuno con i programmi dei concerti. Nemmeno una volta, giuro.»

Jamie si era messo a ridere. Quelle battutine di Isabel lo divertivano sempre. Gli altri erano così banali: lei invece era capace di dare un tocco nuovo a una situazione scontata, rendendola esilarante con una delle sue osservazioni peculiari. «Forse è l'effetto che gli fa la musica» aveva risposto lui. «I miei allievi non riescono a star fermi un secondo.»

Jamie era un musicista: suonava il fagotto in un'orchestra da camera e arrotondava con l'insegnamento. I suoi allievi erano per la maggior parte adolescenti, che una volta alla settimana si facevano una bella scarpinata fino al suo appartamento di Stockbridge. Erano per lo più musicisti promettenti. Alcuni, però, andavano a lezione su imposizione dei genitori: erano quelli che non riuscivano a star fermi, che passavano il tempo a guardar fuori dalla finestra.

Isabel aveva stretto un'amicizia intima con Jamie, per quanto era possibile tra persone con un divario di età di una quindicina d'anni. L'aveva conosciuto durante i sei mesi in cui lui era stato con Cat, e c'era rimasta male quando la nipote e quel bel giovane dalla carnagione olivastra e dai capelli a spazzola si erano lasciati. Aveva fatto tutto Cat, e Isabel aveva dovuto appellarsi al suo autocontrollo per non rimproverarla. Che errore disastroso! Jamie era un tesoro di uomo, un meraviglioso dono che dèi benigni avevano spedito sulla Terra direttamente dal Parnaso. E Cat cosa faceva? Lo rifiutava. Com'era possibile?

Nei mesi successivi la passione che Jamie continuava a nutrire per Cat era stata alimentata da Isabel. Quasi non ne avevano parlato, ma c'era una tacita intesa fra loro. Rimanendo in contatto con Isabel, Jamie faceva ancora parte della famiglia, per così dire; in quel modo, perlomeno, manteneva accesa la speranza che la loro relazione potesse riallacciarsi. Il legame tra lui e Isabel, però, era diventato più profondo. Sembrava proprio che Jamie avesse bisogno di una confidente, e la donna era disposta a rivestire quel ruolo con istintiva simpatia. Per quanto la riguardava, la compagnia di Jamie le faceva un grande piacere: lo poteva accompagnare al piano mentre lui cantava, cucinava per lui, si scambiavano pettegolezzi, tutte cose che al giovane sembravano andare a genio quanto a Isabel.

Era contenta della loro amicizia. Poteva telefonargli in qualsiasi momento, lo sapeva. A lui faceva piacere uscire dal suo appartamento di Saxe-Coburg Street per bere un bicchiere di vino insieme a lei e chiacchierare. Ogni tanto uscivano a cena, oppure andavano a un concerto per cui Jamie aveva i biglietti omaggio. Lui dava per scontato che lei presenziasse a ogni esibizione della sua orchestra da camera, sia a Edimburgo che a Glasgow, e Isabel c'era sempre, anche se non amava la grande città dell'Ovest. Glasgow la innervosiva, gli aveva confessato. Jamie aveva sorriso: a infastidirla era il fatto che fosse una città vera. La vita lì aveva una carnalità così diversa dall'atmosfera rarefatta di Edimburgo. E questo a lui, ovviamente, piaceva. Si era diplomato alla Royal Scottish Academy of Music and Drama, e la città era piena di reminiscenze della sua vita da studente: feste fino a notte fonda, bar, cene negli economici ristorantini indiani nei pressi di Byres Road, l'odore del fiume e il rumore delle navi e delle fabbriche come sottofondo.

Seduta al suo posto in terza fila – come promesso – Isabel studiava il programma del concerto. Era una serata di beneficenza a favore di un'associazione umanitaria per il Medio Oriente, a cui intervenivano diversi musicisti locali. Il programma prevedeva un concerto per violoncello di Haydn, una fantasia di brani di Bach e una scelta di inni eseguiti dal coro della Edinburgh Academy. L'orchestra da camera di Jamie non si esibiva, ma lui suonava il controfagotto in un ensemble improvvisato che doveva accompagnare il coro. Isabel scorse con lo sguardo l'elenco dei musicisti: li conosceva quasi tutti.

Si mise comoda sulla sedia e alzò lo sguardo verso la galleria. Una bambina, probabilmente la sorella minore di un corista, stava guardando in basso sporgendosi dalla balaustra. Incrociò lo sguardo con il suo e alzò una manina salutandola esitante. Isabel rispose con un sorriso. Dietro la bambina, vide la sagoma del tizio della National Library: non si perdeva un concerto, e ogni volta era un continuo dimenarsi.

La sala era ormai quasi piena, e solo qualche ritardatario stava ancora cercando il proprio posto. Isabel guardò il programma e poi, con discrezione, sbirciò in direzione del suo vicino di sinistra. Era una donna di mezza età con i capelli raccolti in uno chignon, un'espressione vagamente censoria sul viso. Accanto a lei sedeva un uomo dalla faccia puntuta, smorto, che fissava il soffitto. L'uomo sbirciò la sua vicina e distolse lo sguardo. La donna lo guardò, poi si girò parzialmente in direzione di Isabel, col pretesto di sistemarsi sulle spalle lo scialle rosso con i disegni a goccia.

«Programma interessante» sussurrò Isabel. «Ci trattano bene.»

L'espressione della donna si raddolcì. «Haydn lo sentiamo così poco» disse in tono quasi cospiratorio. «Non ce ne danno abbastanza.»

«No, in effetti» replicò Isabel, domandandosi chi tramasse nell'ombra, a scapito degli appassionati di Haydn.

«Devono darsi una svegliata» borbottò l'uomo. «Quand'è l'ultima volta che hanno fatto *La creazione*? Te lo ricordi? Io no.»

Isabel tornò a guardare il programma, quasi a valutare la dose di Haydn che sarebbe toccata loro, ma le luci si abbassarono e dalla porta sul fondo del palco comparve un quartetto d'archi, che prese posto. Partì una salva di applausi, i più fragorosi dei quali a Isabel sembrarono venire dai suoi vicini.

«Haydn» sussurrò la donna, trasfigurata. L'uomo annuì.

Isabel trattenne un sorriso. Il mondo, a quanto pareva, era pieno di appassionati, tifosi di questa o di quell'altra fazione. C'era gente che amava cose insolite di ogni tipo, e quella passione diventava una ragione di vita. Haydn era una passione rispettabilissima, tanto quanto i treni, supponeva. Auden – WHA, come amava chiamarlo lei – era un appassionato di locomotive e aveva confessato che da bambino aveva amato un motore a vapore, che gli sembrava «bello in ogni dettaglio» quanto il destinatario di quella poesia. Sei il mio treno a vapore, si poteva dire alla persona amata, proprio come i francesi dicevano *mon petit chou,* «cavolino mio». Davvero bizzarre, a volte, le espressioni della passione umana.

Il quartetto accordò gli strumenti e cominciò il brano di Haydn, suonandolo con bravura e guadagnandosi al momento opportuno altri fragorosi applausi dalla fila di Isabel. Seguì il pot-pourri di Bach, dopo il quale ci fu l'intervallo. Isabel di solito rimaneva seduta al suo posto durante la pausa, ma la serata era tiepida e la sete la spinse al bar, dove si mise in fila per bere qualcosa. Per fortuna il servizio era celere e non dovette aspettare a lungo. Con in mano il suo bicchiere di spritzer, si fece largo verso uno dei tavolini del ridotto.

Guardò la gente che si affollava al bar. Diverse persone la salutarono dall'altro capo del foyer, con un cenno della testa e un sorriso. Si chiese dove fosse Jamie. Dovendo suonare subito dopo l'intervallo, probabilmente era in camerino a preparare l'ancia del fagotto. Si sarebbero visti dopo, supponeva, magari sarebbero andati a bere qualcosa insieme e avrebbero parlato del concerto.

Poi lo vide, in piedi in mezzo a un gruppetto di persone all'angolo del bancone. Riconobbe un ragazzo che faceva parte dell'orchestra da camera, un certo Brian. Era di Aberdeen e suonava la viola. Proprio di fianco a Jamie c'era una ragazza alta, bionda, con un vestito rosso aderente, che teneva un bicchiere con la mano sinistra e parlava. In quel preciso momento si girò, andando ad appoggiarsi addosso a Jamie. Isabel continuò a guardare. Vide Jamie sorridere alla giovane e metterle una mano sulla spalla, con delicatezza, e poi scostarle i capelli dalla fronte. Lei ricambiò il sorriso, cingendolo intorno alla vita con la mano libera.

Isabel notò l'intimità di quei gesti e di colpo si sentì svuotata, una sensazione fisica così opprimente da farle temere per un momento di non riuscire più a respirare, come fosse in apnea. Appoggiò il bicchiere e rimase per qualche istante a fissare il tavolino prima di rialzare lo sguardo nella loro direzione. Jamie guardò l'orologio e disse qualcosa al violista e alla ragazza. Liberatosi dalla stretta della bionda, si avviò verso la porta dei camerini, mentre la ragazza osservava uno dei quadri appesi alla parete, paesaggi insulsi e dilettanteschi, che il teatro cercava invano di vendere.

Isabel si alzò. Per tornare in sala dovette passare accanto alla ragazza, ma non la guardò. Arrivata al suo posto, ci si lasciò cadere pesantemente, stordita, e si mise a fissare il programma. Vide il nome di Jamie e quello del violista, e il cuore cominciò a batterle forte nel petto.

Guardò i musicisti in scena, poi il coro dell'Academy, giovani cantanti tra i quattordici e i diciott'anni, i ragazzi in camicia bianca e pantaloni scuri, le ragazze con la blusa bianca e la gonna blu scuro con le pieghe. Entrò il maestro del coro, e lei lo seguì con lo sguardo invece di rivolgere le sue attenzioni a Jamie, che in quel momento sembrava intento a cercarla, per sorriderle con discrezione come faceva spesso.

Cominciarono con Howells, e Isabel quasi non lo sentì. Chi era quella ragazza? Jamie non aveva una fidanzata – non ne aveva avute dopo Cat –, e Isabel aveva dato per scontato che non ce ne sarebbero state altre. Lui aveva sempre fatto capire chiaramente di puntare a rimettersi con Cat, di essere disposto ad aspettare tutto il tempo necessario. E Isabel ci aveva creduto. Ma a lei cosa era successo? Era diventata sempre più possessiva nei confronti di Jamie, ma non l'aveva mai ammesso. E ora c'era un'altra donna, anzi, una ragazza, con cui Jamie condivideva un'intimità che avrebbe portato alla sua esclusione. Era ovvio. Sarebbe finito tutto.

Quando il brano di Howells terminò, Isabel guardò di

sottecchi Jamie, distogliendo subito lo sguardo. Le sembrò che stesse osservando un'altra parte della sala, dove forse era seduta la ragazza. Il coro passò a un mottetto di Taverner, grave ed echeggiante, e poi a un inno di John Ireland, intitolato *Le grandi acque non possono spegnere l'amore*. Stavolta Isabel rimase ad ascoltare. «*Le grandi acque non possono spegnere l'amore, né i fiumi travolgerlo.*» No, è vero. È vero. «*Perché forte come la morte è l'amore.*» È più forte. Più forte.

Alla fine del concerto, Isabel si alzò non appena gli applausi scemarono. Normalmente sarebbe uscita dalla porta posteriore, passando per il bar, e da lì avrebbe aspettato che Jamie spuntasse dal camerino. Quella sera no. Fu tra i primi a uscire, ritrovandosi nell'animata via notturna, piena di gente che aveva ben altro da fare che andare a un concerto. S'incamminò di buon passo verso i Meadows, inserendosi nel flusso accanto alla strada trafficata, procedendo svelta come se avesse fretta di tornare a casa, anche se lì non c'era niente ad aspettarla, a parte il conforto di un ambiente familiare.

La notte era chiara, nel cielo dell'ovest balenava ancora un bagliore, e l'aria era tiepida. «*Le grandi acque non possono spegnere l'amore*»: quella frase dell'inno le risuonava nelle orecchie, in continuazione. Era una melodia così affascinante. Poteva servire a corazzarci contro le delusioni della vita, e non solo ad ammonirci che i tentativi di lenire il dolore causato dall'amore non corrisposto – dall'amore impossibile, quello a cui era meglio mettere una pietra sopra – di solito non funzionavano, anzi rendevano le ferite d'amore ancora più dolorose.

Si fermò al semaforo e attese il verde per i pedoni. Una ragazza, una studentessa probabilmente, aspettava accanto a lei. Guardò Isabel, esitò un istante e poi la toccò delicatamente su un braccio.

«Si sente bene?» le chiese. Aveva notato le lacrime.

Isabel annuì. «Sì, grazie. Grazie.»

3

Alla luce del giorno ovviamente andava tutto molto meglio. Quando Isabel scese al piano di sotto la mattina seguente, forse non aveva dimenticato quel suo momento di debolezza, ma perlomeno aveva ripreso il controllo di sé. Sapeva che quella della sera prima era stata un'emozione improvvisa: nientemeno che gelosia. Certi stati emotivi coglievano alla sprovvista, e di primo acchito erano difficili da gestire; ma ci si poteva considerare agenti razionali proprio perché li si riusciva a controllare. Lei, Isabel Dalhousie, era sicuramente capace di tenere a freno le emozioni negative, rimandandole da dove erano venute. E dov'era quel posto? Negli abissi profondi dell'Es freudiano? Sorrise al pensiero. Che nome appropriato, Es: qualcosa di grezzo, maleducato, oscuro, che voleva compiere tutte quelle azioni anarchiche che l'Io e il Super-io guardavano con sospetto. Le teorie di Freud, piacevolissime come opere letterarie, in generale non avevano una base scientifica inattaccabile, ma tra tutte le sue idee, a Isabel quella dell'Es era sempre parsa la più credibile. Tutto quel magma di bisogni, di desideri derivati dalla fisicità dell'individuo: il bisogno di cibo, la necessità di riprodursi... Solo questi bastavano a provocare guai di ogni tipo, e senza dubbio erano alla base di moltissime dispute tra le persone. Spazio vitale, cibo e sesso: il dominio dell'Es. E alla fine era a questo che si riducevano le cause dei conflitti nella storia dell'umanità.

Mentre preparava il caffè, aveva analizzato nella sua interezza l'episodio, riducendolo alle giuste proporzioni. Era naturale essere gelosi di qualcuno per cui si nutriva un affetto particolare. Era perfettamente normale che si fosse sentita così quando aveva visto Jamie insieme a quella ragazza. Era una prova schiacciante: non era suo. Poteva provare dei sentimenti molto intensi per lui, ma le cose non cambiavano. Erano soltanto amici.

Sì, aveva sperato che Jamie e Cat tornassero insieme, ben sapendo però quanto fosse campata in aria tale speranza. Jamie lo avrebbe capito prima o poi. A quel punto si sarebbe trovato un'altra, come avrebbe fatto qualsiasi ragazzo. La bionda del concerto, con quell'aria adorante nei suoi confronti, sarebbe stata perfetta. Era possibilissimo che andasse perduta la piacevole intimità che Isabel e Jamie al momento condividevano; certamente le dispiaceva, ma la cosa giusta da fare per lei sarebbe stata compiacersi della felicità che quel cambiamento avrebbe portato a Jamie. Era come liberare un uccellino rinchiuso per qualche tempo in gabbia. Chi l'aveva preso sarebbe stato triste per la perdita dell'amico, ma doveva pensare solo alla felicità della creatura lasciata libera. Doveva fare così: era evidente. Doveva cercare di farsi piacere quella ragazza e lasciar andare Jamie con la sua benedizione.

Isabel aveva finito la prima tazza di caffè e consumato la sua colazione mattutina (due fette di pane tostato con la marmellata), quando arrivò la sua governante, Grace. La donna, più o meno dell'età di Isabel, si era occupata della casa durante la malattia di suo padre e manteneva ora le stesse mansioni. Era una donna dalle idee chiare, che non si era mai sposata – nonostante le «innumerevoli offerte», come diceva lei –, e Isabel la usava spesso come pietra di paragone per le proprie idee e opinioni. Su molti argomenti erano in disaccordo, ma Isabel apprezzava il punto di vista di Grace, che raramente mancava di sorprenderla.

«Non sarò una filosofa, ma di certo non mi faccio problemi a dire la mia» aveva sottolineato una volta Grace. «Non capisco tutti questi dubbi.»

«Ma è necessario dubitare» aveva replicato Isabel. «Pensare significa dubitare. Alla fine sono la stessa cosa.»

La risposta di Grace non si era fatta attendere. «Neanche per sogno. Io rifletto su una cosa e poi mi faccio un'idea. Il dubbio non c'entra niente.»

«Be', le persone non sono tutte uguali. Lei è fortunata ad avere tante certezze. Io sono più portata ai dubbi. Forse è una questione di carattere.»

Quella mattina Isabel non era dell'umore giusto per un botta e risposta del genere, perciò si trincerò dietro qualche domanda formale sul nipote di Grace, Bruce. Il ragazzo, fervido nazionalista scozzese, credeva fermamente nella causa dell'indipendenza del paese. Anche Grace ogni tanto si faceva influenzare dalla militanza del nipote, dicendo peste e corna del governo di Londra, ma i suoi erano sfoghi di breve durata. Era conservatrice di natura, e il Regno Unito era un'entità troppo radicata perché lei desiderasse davvero sconvolgerla.

«Bruce è andato a uno dei suoi raduni politici» rispose. «Ogni anno si ritrovano tutti a Bannockburn, ad ascoltare gente che parla. Si caricano, si gasano, poi tornano a casa e si rimettono a pensare ai fatti loro come tutti quanti. Penso che per lui sia una specie di hobby. Una volta collezionava francobolli, adesso ha il nazionalismo.»

Isabel sorrise. «Sta così bene con il kilt e il berretto. E poi, Bruce è proprio un nome da patriota, vero? Non sarebbe tanto convincente un nazionalista scozzese che si chiamasse, che so, Julian. Non crede?»

«Probabilmente no» rispose Grace. «A proposito, lo sapeva che stanno pensando di boicottare le ferrovie perché sul menu delle carrozze ristorante c'è scritto ENGLISH BREAKFAST?»

«Ah, che lotta titanica! Che contributo costruttivo all'indipendenza della nazione!»

«Certo, qualche ragione ce l'hanno. Guardi come è stata trattata la Scozia. Come dice quella canzone? 'Ce n'è, di traditori della nazione...'»

Isabel portò la conversazione su un argomento che non fosse Bruce.

«L'altra sera ho visto Jamie con una ragazza» disse semplicemente, osservando la reazione di Grace a quelle parole.

«Con un'altra?»

«Sì. A un concerto.»

Grace annuì. «Be', non mi sorprende. Li ho visti anch'io.»

Isabel rimase in silenzio per un istante, il cuore aveva cominciato a batterle più forte. Le emozioni richiedevano uno sfogo fisico. Poi disse: «Una ragazza bionda? Alta?»

«Sì.»

Doveva essere la stessa per forza. Non era una sorpresa. Eppure chiese altri particolari, e Grace proseguì.

«Li ho visti vicino all'università. C'è un bar quasi sul retro del museo. Quando il tempo è bello mettono i tavolini all'aperto e la gente si siede fuori a bere il caffè. Erano lì, seduti a un tavolo. Non mi hanno visto mentre passavo. Ma erano proprio Jamie e una ragazza. Quella lì.»

«Conosco quel locale» disse Isabel. «Ha un nome strano: Iguana o qualcosa del genere.»

«Di nomi strani ne girano parecchi, di questi tempi» concluse Grace.

Isabel non aggiunse altro. Per un momento provò la stessa sensazione della sera: si sentiva svuotata, completamente sola. Non era una sensazione nuova, tra l'altro. Si ricordava bene la prima volta che si era accorta che John Liamor la tradiva, con una ragazza venuta a Cambridge da Dublino per parlare con lui dei suoi studi. Si era sentita proprio così. Era come se le stessero strappando qualcosa, dentro, fino a farle mancare il fiato. John Liamor, però, era il passato e lei lo stava superando. Per anni era rimasta alla sua mercé, a pensare a lui, incapace di fidarsi degli uomini. E adesso doveva lasciarsi trascinare in qualcosa che presentava gli stessi pericoli, il dolore, il rifiuto? Certo che no.

Grace la stava osservando. Lo sa, pensò Isabel. L'ha capito. È così trasparente, il disappunto di una donna che ha scoperto che il suo giovane amante si comporta esattamente come ci si aspetta che faccia un giovane amante... solo che io e Jamie non siamo amanti.

«Doveva succedere prima o poi» disse Grace tutto a un tratto, guardando il pavimento. «Sarebbe tornato da Cat se lei se lo fosse ripreso, ma non lo ha voluto. Cosa doveva fare? Gli uomini non sono più capaci di aspettare.»

Isabel guardava fuori dalla finestra. Sul muro che divideva il suo giardino da quello dei vicini c'era una clematide rampicante completamente fiorita, con grandi boccioli striati di rosa. Grace pensava che lei fosse preoccupata per Cat: non aveva capito che il suo turbamento era invece del tutto personale. E di pensarla così ne aveva ben donde, considerò Isabel, perché altrimenti cosa avrebbe dovuto concludere? Che di fronte a sé aveva una zia – già, una zia – innamorata del ragazzo della nipote, cosa già di per sé sconveniente, ma che di sicuro non succedeva nella Edimburgo di Grace. Ma l'Es ce l'hanno anche le zie, pensò lei, e l'idea la fece sorridere. No, non si sarebbe più sentita svuotata, perché si sarebbe imposta di essere contenta.

«Ha proprio ragione» disse a Grace. «Jamie non poteva certo aspettare per sempre. E su Cat non c'è da fare affidamento.» Si fermò, poi aggiunse: «E spero che questa ragazza, chiunque sia, vada bene per lui». Era una frase tanto banale, ma in definitiva i buoni sentimenti non sono quasi sempre banali? Era difficile far sembrare interessante la bontà, e i buoni. Eppure questi erano sicuramente persone degne di nota, combattive, impegnate in una battaglia che poteva figurare in una storia eccezionale, mentre i malvagi diventavano quel che erano per pigrizia o per debolezza morale, vizi in ultima analisi noiosi e poco interessanti.

«Speriamo» disse Grace, che aveva appena aperto un armadietto da cui prese l'aspirapolvere. Mentre cominciava a dipanare il filo elettrico, si girò a guardare Isabel. «Avevo paura che lei ci fosse rimasta male. Siete molto legati, lei e Jamie. Pensavo che fosse...»

Isabel terminò la frase. «Gelosa?»

Grace aggrottò la fronte. «In un certo senso. Mi spiace di averlo pensato, ma quando sono passata vicino al loro tavolino l'altro giorno, mi sono sentita proprio così. Non voglio che stia con lei. È nostro, no?»

Isabel si mise a ridere. «Sì, è nostro, o almeno ci piace pensare che sia così. Invece non è vero. '*Avevo una colomba.*' Conosce questo verso? Il poeta ha una colomba, e quella bella colomba muore. Ma poteva anche volarsene via.»

«È il suo Auden?»

«Oh no, non è lui. Ma lui d'amore ha scritto parecchio. E immagino che la gelosia l'abbia provata spesso, perché aveva un amico che se ne andava sempre con altre persone, lasciando Auden lì ad aspettarlo. Dev'essere stato molto triste.»

«È sempre triste» rispose Grace. «Sempre.»

Isabel ci pensò un po' sopra. Non si sarebbe permessa di diventare triste: quant'è triste intristirsi. Si alzò allegramente e si sfregò le mani. «Con il caffè mi mangio uno *scone*. Ne vuole uno anche lei?»

4

Lei e Cat si erano messe d'accordo: sarebbe passata alla gastronomia quel pomeriggio per gli ultimi dettagli. La nipote doveva partire per l'Italia il giorno seguente e voleva assicurarsi che Isabel sapesse come funzionava tutto quanto. Eddie conosceva abbastanza bene le norme sanitarie che riguardavano gli alimenti e di quell'aspetto poteva occuparsi lui, ma bisognava mostrare a Isabel l'elenco dei clienti particolari, con i dettagli delle consegne. E poi doveva cimentarsi con l'allarme, che era fin troppo complicato: non bisognava spegnerlo per errore.

Il negozio era a soli dieci minuti a piedi da casa sua. S'incamminò lungo Merchiston Crescent, superando la fila di appartamenti vittoriani che si snodava nella via sul lato sud. Stavano ristrutturando il rivestimento di pietra del lungo edificio, e c'erano parecchi muratori in piedi su un ponteggio mentre sotto di loro, ai piedi della struttura, un macchinario per tagliare le pietre ronzava, sollevando della gran polvere. Guardando in alto, Isabel vide uno dei muratori che salutava. Proprio accanto al ponteggio, una donna guardava fuori da una finestra. Isabel la conosceva, era la moglie di una specie di studioso che scriveva libri misteriosi sulle piramidi e la geometria sacra. Era uno degli aspetti rassicuranti di Edimburgo; se uno scriveva libri sui segreti degli egizi e sulla geomanzia, i vicini lo sapevano. In altre città, anche un personaggio così eccentrico sarebbe rimasto nell'anonimato.

Arrivò alla gastronomia, in Bruntsfield Place, e trovò Cat sulla porta con un grembiule addosso.

«Sembri proprio una di quelle droghiere di una volta» le disse Isabel. «Sulla porta, pronta ad accogliere i clienti.»

«Stavo pensando al regalo di nozze» disse Cat. «Devono avere già più del necessario, come tutti oramai.»

E inoltre, ottenuto in maniera illecita, si disse Isabel, ricordando la conversazione sul padre dello sposo. Un malvivente. Di ricchezze accumulate in maniera illecita, però, ce n'erano davvero tante, se ci si soffermava a pensarci. Come si faceva a diventare ricchi, se non sfruttando gli altri? E anche chi non era uno sfruttatore, poteva godere indirettamente dei profitti dello sfruttamento. Le società occidentali prosperavano grazie all'imperialismo, che si poteva considerare un furto a tutti gli effetti; ma ora, in quelle società ricche, i più poveri cercavano di ottenere aiuti dallo Stato, che poteva assegnarglieli grazie ai vantaggi economici ottenuti con i saccheggi del passato. Il semplice fatto di vivere, insomma, comportava la partecipazione a un crimine. A meno che, certo, non si optasse per un'altra definizione di crimine, considerando tali solo le azioni compiute in prima persona. Indubbiamente era l'unico modo pratico di porsi di fronte a una questione del genere. Se fossimo tutti responsabili dei misfatti dei governi che ci rappresentano, pensò Isabel, sarebbe un fardello morale impossibile da sopportare.

Con queste preoccupazioni in mente entrò nel negozio, dove Eddie, con un grembiule simile a quello di Cat, stava aprendo un grosso sacco di farina doppio zero. Lo lasciò aperto in modo che i clienti potessero servirsi con una paletta. Alzò lo sguardo verso Isabel e le sorrise: che progresso, pensò lei. Gli si avvicinò e gli porse la mano. Eddie le allungò la sua, coperta di farina, e sorrise di nuovo.

Cat le fece strada nel piccolo ufficio sul retro. A Isabel quella stanza era sempre piaciuta, con gli scaffali pieni di campioncini e i cataloghi dei produttori italiani di alimentari, sgualciti dalle frequenti consultazioni. La sua attenzione fu attratta da un grande poster alla parete, che reclamizzava l'olio d'oliva di Filippo Berio: un uomo su una vecchia bicicletta scendeva lungo una di quelle strade bianche e polverose che si snodano in mezzo ai colli della campagna toscana. Sotto il poster Cat aveva attaccato con una puntina il dépliant di una ditta di produttori di parmigiano, le grandi forme stagionate stipate a centinaia in un magazzino. Sembrava proprio il caseificio in cui era stata anni prima, quando era andata a trovare la sua amica di Reggio Emilia. Erano andati a comprare il formaggio direttamente dal produttore. Nell'ufficio dove tagliavano e incartavano il parmigiano per i visitatori, c'era un merlo indiano, in una gabbietta, che se la prendeva con gli ospiti gridando stridulo: «Bagno, bagno!» Successivamente le avevano raccontato che il volatile scurrile era stato relegato in una gabbia all'esterno, in seguito alla visita di un burocrate di Bruxelles che si era lagnato perché la contiguità tra formaggi e uccelli parlanti infrangeva un numero imprecisato di normative dell'Unione Europea in materia di igiene, che nel complesso erano un'accozzaglia di cavilli da azzeccagarbugli.

«Non è che avresti un pezzetto di parmigiano?» chiese Isabel. «Mi è venuta voglia improvvisamente. Non me lo so spiegare.»

Cat si mise a ridere. «Ma certo. Ne ho uno eccezionale,

l'abbiamo aperto da poco. La stagionatura è perfetta e il sapore delizioso.» La ragazza andò alla porta e chiamò Eddie, chiedendogli di portarle un pezzettino di parmigiano. Poi prese una bottiglia dallo scaffale, la stappò e versò un po' di Madeira in un bicchiere.

«Ecco. È perfetto insieme al parmigiano.»

Isabel si sedette insieme a Cat alla scrivania e passò in rassegna l'elenco che le aveva preparato la nipote. Intanto sorseggiava il Madeira, dal forte gusto di noce, e assaggiava l'abbondante porzione di formaggio che Eddie le aveva messo su un piatto. Il formaggio era saporito e compatto. Tutta un'altra cosa rispetto alla polverina che sapeva di cartone che molti consideravano vero parmigiano, ma che con l'Italia non c'entrava niente. Poi, una volta passati in rassegna tutti i suoi compiti, Cat le consegnò un mazzetto di chiavi. Quella sera sarebbe stato Eddie a chiudere il negozio, e dalla mattina seguente Isabel avrebbe assunto il comando.

«Che responsabilità» disse lei. «Tutta questa roba da mangiare. Il negozio. Chiavi, serrature. Eddie.»

«Se ci sono problemi, puoi chiedere tranquillamente a lui» la rassicurò Cat. «Oppure puoi telefonarmi in Italia. Ti lascio il numero.»

«Non ti voglio disturbare. Non in occasione del matrimonio.»

Non è il tuo, pensò lei, ma ci siamo capite. E poi, senza volerlo, le si presentò un'immagine di Cat all'altare, con un pomposo vestito da sposa e un marito siciliano con gli occhiali da sole. Fuori dalla chiesa suonava una di quelle scalcinate bande di paese che sembrano spuntare dal nulla nelle città italiane, con i vecchi flicorni e la tuba; e il sole splendeva, sopra gli ulivi, e il signor Berio in persona rideva, lanciando il riso agli sposi.

Isabel sollevò il bicchiere di Madeira quasi vuoto brindando a Cat. «Al matrimonio» disse sorridendo.

Tornò verso casa, sentendo il peso delle chiavi nella tasca della giacca. Grace se n'era già andata quando arrivò, e tutto era lucidato a specchio, come sempre quando passava la governante: Grace ci ha fatto la grazia, si disse Isabel. La sua era una governante molto atipica, i cui interessi andavano ben oltre le faccende domestiche: leggeva romanzi e s'interessava in prima persona di politica, anche se le sue simpatie in materia erano notoriamente incostanti. Era una donna che avrebbe potuto fare carriera se avesse avuto l'opportunità di scegliere, ma che era stata indirizzata a quel lavoro da una madre priva di ambizioni. E se avesse avuto l'opportunità di scegliere, Isabel non avrebbe tenuto una governante: ma non c'era stato niente da fare. Alla morte del padre di Isabel, Grace aveva dato per scontato di poter mantenere il suo posto, e lei non aveva avuto il coraggio di negarglielo. Adesso era felice che Grace fosse rimasta e non riusciva a immaginarsi una vita senza lei e le sue opinioni. Isabel, abituata a fare del bene senza troppo clamore, aveva accumulato del denaro su un conto intestato a Grace, di cui però non le aveva ancora rivelato l'esistenza. Prima o poi la governante sarebbe andata in pensione, anche se questo era un argomento di cui non avevano mai parlato. I soldi erano già lì, pronti per quando ne avesse avuto bisogno.

Andò in cucina. Grace spesso le lasciava dei bigliettini sul tavolo, per ricordarle cosa mancava in casa, o note con i messaggi telefonici. L'attendevano una grossa busta marrone e un foglietto con poche righe scritte dalla donna. Isabel prese per prima la busta. Non era arrivata con la solita consegna del mattino perché per errore era stata recapitata a un vicino, che gliel'aveva portata a mano. Isabel abitava al 6, il vicino al 16, e a un postino frettoloso poteva capitare di sbagliarsi. Con le bollette però non si sbagliano mai, pensò: quelle arrivano sempre a destinazione. La busta era indirizzata semplicemente al direttore della «Rivista», e dalla mole doveva essere un manoscritto. Lei controllava sempre francobollo e timbro postale, come prima cosa, anziché il nome e l'indirizzo del mittente: questo era un francobollo americano, con un aviatore che guardava le nuvole con quell'espressione tipica dei piloti. Il timbro era di Seattle. Mise da parte la busta e guardò il biglietto lasciato da Grace. L'aveva chiamata il dentista, per spostarle l'appuntamento per il controllo. Aveva telefonato anche l'autore di un saggio che la «Rivista» aveva accettato di pubblicare: Isabel sapeva che era un tipo rognoso e di sicuro chiamava per lamentarsi. Poi, in calce al biglietto, Grace aveva scritto: «Ha chiamato anche Jamie. Vuole parlarle, dice. Prima possibile». La frase era seguita da un punto esclamativo... ma era davvero così? A Grace piaceva aggiungere qualche commento ai messaggi che riceveva per conto di Isabel, e un punto esclamativo sarebbe stato una chiosa eloquente. Ma quello era davvero un punto esclamativo, oppure le era solo scivolata la matita?

Isabel prese la busta e andò nello studio. Jamie telefonava spesso, non era una novità, eppure era incuriosita. Perché voleva parlarle prima possibile? Aveva a che vedere con quella ragazza? si chiese. Magari Jamie si era accorto che c'era qualcosa di strano. Era possibile che la stesse aspettando dopo il concerto alla Queen's Hall e che l'avesse vista sgattaiolare via. Non era una persona insensibile, indifferente ai sentimenti altrui, e probabilmente avrebbe capito perché se n'era andata senza parlargli. Certo, se l'avesse capito, tra loro sarebbe cambiato tutto. Non voleva essere presa per una specie di ammiratrice disperata, della quale avere compassione.

Fece per sollevare la cornetta, ma si fermò. Un'ammiratrice disperata sarebbe corsa a telefonare al suo amato. E lei non lo era. Era una donna indipendente che, guarda un po', era amica di un uomo più giovane. Non si sarebbe comportata come certe zitelle assatanate, disperatamente in cerca di un contatto qualsiasi con l'uomo sul quale hanno posato le proprie mire. Lei non gli avrebbe telefonato. Se Jamie voleva parlarle, sarebbe stato lui a chiamare. Provò un moto di vergogna: erano pensieri degni di un'adolescente volubile e manipolatrice, non di una donna della sua età e della sua esperienza. Chiuse gli occhi per un momento: tutta questione di *voluntas*. Non era innamorata di Jamie. Era contenta che avesse trovato una fidanzata. Aveva tutto sotto controllo.

Riaprì gli occhi. Intorno a lei, l'ambiente familiare del suo studio: libri fino al soffitto, la scrivania con il suo rassicurante disordine, il mondo tranquillo e razionale della «Rivista di etica applicata». Sulla scrivania c'era il telefono: sollevò la cornetta e compose il numero di Jamie.

«Isabel» disse la voce registrata, «non sono in casa. Non stai parlando con me; cioè, sono io, ma è una registrazione. Ho bisogno di parlarti, ti secca? Che ne dici di vederci domani? Posso venire da te in qualsiasi momento. Chiamami più tardi.»

Riattaccò. I messaggi di persone che non erano effettivamente presenti la inquietavano, un po' come le lettere inviate dai morti. Una volta gliene era arrivata una del genere da parte di un collaboratore della rivista, a cui aveva rifiutato un articolo. «Non capisco perché non vogliate pubblicarlo» le aveva scritto lui. E poi, pochi giorni dopo, aveva saputo che era morto. Fermandosi a valutare quel rifiuto, che all'uomo aveva fatto passare poco felicemente gli ultimi giorni, Isabel era arrivata a una conclusione: non avrebbe potuto decidere diversamente, eppure l'imminenza della morte può spingere a valutare con più cura le nostre azioni. Se si trattassero gli altri con la considerazione che si riserva a chi ha solo pochi giorni di vita, ci si comporterebbe in modo più gentile.

Prese la busta che veniva da Seattle e l'aprì, delicatamente e con attenzione, come se maneggiasse un documento sacro. C'era una lettera di presentazione – della University of Washington – ma la mise da parte, anche in questo caso delicatamente, per guardare la prima pagina del manoscritto. *L'uomo che ricevette un bullone nel cervello e divenne uno psicopatico.* Isabel fece un sospiro. Da quando Oliver Sacks aveva scritto *L'uomo che scambiò sua moglie per un cappello* c'era stata una sequela di titoli del genere. E la questione del cervello e dei disordini della personalità non era già stata indagata dal professor Damasio, che si era occupato proprio del caso di un operaio metalmeccanico cui si era piantato un bullone nel cervello? Poi si ricordò quanto si era detta prima: avrebbe riservato a quell'articolo tutta la sua attenzione.

Iniziò a leggere. Venti minuti dopo era ancora lì con davanti il manoscritto a riflettere su quanto aveva letto, quando il telefono la interruppe. Era Jamie.

«Scusa, quando hai chiamato ero fuori.»

«Volevi vedermi.»

«Sì. Ho bisogno di vederti.»

Isabel attese che proseguisse, ma il ragazzo rimase in silenzio. Allora parlò lei: «Sembra una cosa importante».

«Non tanto. Be', in realtà è importante per me. Devo parlarti di una faccenda personale.» Si interruppe. «Sai, ho conosciuto una donna. È di questo che si tratta.»

Lei guardò gli scaffali con i libri. Ne aveva così tanti che parlavano del dovere, degli obblighi e della pura e semplice lotta morale della vita.

«È un'ottima notizia» commentò. «Ne sono lieta.»

«Lieta?»

«Sì, certo» ribadì lei. Era così facile fare la cosa giusta, solo a parole. Nei fatti poteva essere più difficile. «Sono contenta che tu abbia conosciuto qualcuno. Anzi credo di averla vista alla Queen's Hall. Era...» Fece una pausa. «Molto carina.» Anche solo a parole era difficile.

«Ma non era lei» disse Jamie.

Isabel aggrottò la fronte. «Quella ragazza all'intervallo...»

«È un'amica.»

5

La mattina seguente arrivò alla gastronomia pochi minuti prima di Eddie. Una delle serrature oppose resistenza e prima di riuscire ad aprirla dovette armeggiare un po'. Così facendo, fece scattare l'allarme e quando finalmente riuscì a entrare la sirena aveva già cominciato a urlare. Attraversò di corsa il negozio fino all'ufficio, seguendo il lampeggiare delle lucine del pannello di controllo nella penombra. Aveva imparato a memoria la combinazione, ma adesso di fronte al tastierino con tutti quei numeri le veniva in mente solo la formula: «la caduta di Costantinopoli». Era una data che di sicuro non avrebbe mai potuto dimenticare, ma adesso non riusciva a ricordarla: le veniva in mente solo la signorina Macfarlane, la professoressa di storia, con il vestito spigato nero che portava ogni tanto, forse per deferenza alla preside, che era sempre vestita così. In piedi davanti alla classe di ragazzine, nell'aula che dava su George Square, diceva: «Un anno fatale per l'Occidente, ragazze, un anno decisivo. Non dobbiamo dimenticare questa data».

Isabel pensò: non dobbiamo dimenticare questa data, ragazze, e le tornò in mente. L'allarme ammutolì all'istante. 1492. Si sentì sollevata, ma poi sopraggiunsero il dubbio e la confusione. Costantinopoli non era caduta nel 1492, ma nel 1453, quando il sultano Maometto II aveva sconfitto i cristiani che la difendevano. «Ricordate, ragazze, il Turco aveva più di centomila uomini» diceva la signorina Macfarlane. «E noi eravamo solo in diecimila.» Isabel aveva guardato stupita la professoressa, ma solo per un istante. La signorina Macfarlane era scozzese, eppure vantava una certa affinità con i difensori di Costantinopoli. Noi? E chi era «il Turco»?

«Nel 1492» mormorò Isabel «Colombo scoprì l'America.»

«Ed è successo qualcosa in un posto che si chiama Costantinopoli» fece una voce alle sue spalle. «Almeno, così ha detto Cat. Sarebbe il sistema per ricordarci la combinazione.»

Isabel si girò. Eddie era entrato senza far rumore e stava in piedi dietro di lei. La sua apparizione improvvisa l'aveva fatta sobbalzare, ma perlomeno aveva risolto il mistero. Era stata Cat a darle il numero, scrivendoglielo sulla lista delle cose da fare, e al tempo stesso le aveva dato la chiave che usava per ricordarselo. Diligente, Isabel aveva imparato tutto a memoria, sbagliato com'era, senza preoccuparsi di correggerlo.

«È così che nascono gli errori» disse a Eddie.

«Ha digitato il numero sbagliato?»

«No, ma Costantinopoli non è caduta nel 1492. La data esatta è il 1453. Il Turco aveva più di centomila uomini e noi ne avevamo solo...» S'interruppe. Eddie la guardava, confuso.

Poteva anche darsi che la storia non gliel'avesse mai insegnata nessuno, si disse. Sapeva che Maria Stuarda era stata regina di Scozia? O chi era Giacomo VI? Guardò quel giovane tranquillo, un po' timoroso, la cui vita era stata ingiustamente rovinata – ora lo capiva – da un evento traumatico.

«Dovrai avere molta pazienza con me» gli disse. «Non

si può certo dire che sia padrona della situazione. Far scattare l'allarme non è stata una cosa molto furba.»

Eddie le sorrise. Nervoso, ma comunque le sorrise. «Mi c'è voluto un sacco per imparare questo mestiere» le confidò. «Non riuscivo mai a ricordarmi i nomi dei formaggi. Fino al cheddar e al brie ci arrivavo, ma per tutti gli altri ci ho messo un secolo.»

«Non sentirti in colpa» disse Isabel. «Io, con i formaggi e anche con i vini me la cavo, direi, ma le spezie me le confondo. Il cardamomo e via dicendo. Dimentico sempre i nomi.»

Eddie accese una luce. L'ufficetto era privo di finestre e l'unico chiarore proveniva dal negozio, dalla vetrina oltre i tavolini da caffè e i sacchi di muesli e riso basmati aperti.

«Di solito comincio accendendo la macchina del caffè» disse Eddie. « Parecchia gente passa prima di andare al lavoro.»

La gastronomia aveva tre o quattro tavolini a cui ci si poteva sedere per bere un caffè e leggere quotidiani europei dei giorni precedenti. C'era sempre una copia di «Le Monde» e del «Corriere della Sera», e qualche volta una dello «Spiegel», del quale Isabel trovava interessante l'abitudine di pubblicare articoli riguardanti la Seconda guerra mondiale e le colpe dei tedeschi. La memoria storica era importante, e forse alcuni tedeschi sentivano di non poter dimenticare: ma sarebbe mai arrivato un momento in cui si sarebbe potuto mettere da parte quelle terribili immagini del passato? No, se vogliamo evitare che quei fatti si ripetano, sostenevano alcuni, e in Germania questa cosa la prendevano molto sul serio. Altri, forse, preferivano dimenticare. I tedeschi meritavano ampia stima per la loro dirittura morale, era per questo che Isabel li apprezzava tanto. Chiunque – qualunque popolo – avrebbe potuto compiere quel che avevano compiuto loro in quel momento storico di follia: la loro bontà stava nell'aver affrontato le conseguenze delle loro azioni. I turchi prendevano in esame la loro storia con la stessa intransigenza morale? Isabel non lo sapeva. Magari sì, ma nessuno menzionava mai il genocidio degli armeni – un massacro di cui c'erano ancora testimoni in vita – a parte, ovviamente, gli armeni stessi.

I belgi, le venne in mente all'improvviso. Loro, pochi anni prima, avevano approvato in Parlamento una delibera in cui condannavano quanto era accaduto in Armenia. Iniziativa lodevole, aveva commentato qualcuno, ma che dire allora della politica di re Leopoldo in Congo? Poi c'erano gli abitanti di un'isola del Pacifico, i cui antenati erano accusati di aver divorato – sul serio, non in senso metaforico – i precedenti abitanti delle terre da loro occupate. Increscioso, davvero increscioso. E che dire dei britannici, che si erano comportati malissimo in tante parti del mondo? Bastava pensare alla tragedia dell'estinzione degli aborigeni della Tasmania, e a tanti altri atti di crudeltà e ladrocinio compiuti sotto l'egida della Union Jack. Quando i libri di scuola del Regno Unito avrebbero dato conto del terribile contributo dei britannici alla schiavitù, e di quello degli arabi, e di numerosi africani (che non ne erano stati solo vittime)? Siamo tutti cattivi allo stesso modo, ma a un certo punto bisogna passarci sopra, o perlomeno evitare di soffermarcisi più del necessario. La storia, era chiaro, in un attimo poteva diventare uno scambio di accuse e di recriminazioni reciproche, risalendo all'infinito una catena di crudeltà e oppressione, a meno che non si esercitasse l'arte di dimenticare e perdonare.

Tutti argomenti molto interessanti, ma che non avevano niente a che fare con la gestione di una gastronomia, si ricordò Isabel. Aprì la cassaforte con il codice segnato da Cat: 1915. L'anno in cui i turchi avevano attaccato gli armeni, pensò. Ma era improbabile che Cat si riferisse a quello, non glieli aveva mai sentiti menzionare, gli armeni, nemmeno una volta. La scelta, in effetti, era molto più prosaica: diciannove e quindici erano le ultime quattro cifre del suo numero di telefono.

Sentì Eddie versare i chicchi di caffè nel macinino e assaporò l'odore della miscela. Poi sistemò gli spiccioli in cassa e controllò che ci fosse una scorta adeguata di sacchetti di plastica in cui mettere gli acquisti. Pronti, pensò Isabel con una certa soddisfazione. Si comincia a lavorare. Guardò Eddie, che alzò i pollici in segno di incoraggiamento. Ecco il senso di appartenenza a un gruppo che si prova tra colleghi, si disse; quel legame peculiare con le persone con cui si lavora. Non era amicizia, piuttosto la sensazione di condividere un destino che affligge tutti gli esseri umani: il lavoro. Lavoriamo insieme, e si crea tra noi un sottile legame di lealtà e sostegno. Per quello i sindacalisti si chiamavano l'un l'altro «fratello» e «sorella». Siamo legati insieme, alla stessa catena, e ognuno alleggerisce il peso dell'altro; una visione un po' esagerata, considerò, per una gastronomia borghese di Edimburgo, ma senza dubbio dava da pensare.

La mattina fu impegnativa, ma tutto filò liscio. Si era presentato un cliente piuttosto difficile, a riportare una bottiglia di vino consumata a metà, sostenendo che sapeva di tappo. Dovevano cambiargliela. Isabel sapeva che in casi del genere Cat era solita rimpiazzare la merce o rifondere la spesa senza troppe storie, ma quando si avvicinò alla bottiglia incriminata per annusarla, sentì odore d'aceto, non di vino stantio. Ne versò due dita in un bicchiere e lo assaggiò con cautela, sotto lo sguardo indignato del cliente, un ragazzo che indossava un berretto di lana con i colori dell'arcobaleno.

«Aceto» fu la sua conclusione. «Questo vino è stato lasciato aperto. Si è ossidato.»

Guardò il giovane. La spiegazione che le sembrava più probabile era che avesse bevuto metà bottiglia, lasciandola poi aperta per un giorno o due. Qualsiasi vino sarebbe diventato aceto, con quel caldo. E adesso ne voleva prendere un'altra senza pagare. Doveva averla letta sul giornale, l'espressione «vino che sa di tappo».

«Ma la bottiglia era chiusa.»

«Allora perché ne manca così tanto?» chiese Isabel indicando il livello del vino.

«Me ne sono versato un bel bicchiere» rispose lui. «E quando l'ho assaggiato, ho dovuto buttarlo via. Ne ho versato un altro per sicurezza, ma era cattivo anche quello.»

Isabel lo fissò. Era sicura che mentisse, ma era inutile insistere. «Le do un'altra bottiglia» disse, pensando: la menzogna vince. I bugiardi la fanno franca.

«Mi dia un Chianti, per favore» disse il ragazzo.

«Ma questo non è Chianti, è uno Shiraz australiano. Il Chianti costa di più» obiettò lei.

«Sì, ma siete stati voi ad avermi creato un problema. È il minimo che possiate fare.»

Isabel non disse niente, ma andò a uno scaffale e prese una bottiglia di Chianti, che diede al giovane.

«Se non lo finisce, si ricordi di rimettere il tappo e di tenerlo al fresco. Così si rallenta l'ossidazione.»

«Non c'è bisogno che me lo dica» rispose il ragazzo quasi inferocito.

«Ma certo.»

«Li conosco bene, i vini spagnoli» concluse.

Isabel non disse niente, ma colse lo sguardo di Eddie che cercava di nascondere un'aria divertita. Poteva essere piacevole, si disse. Gestire una gastronomia era ben diverso da dirigere la «Rivista di etica applicata», ma a suo modo poteva rivelarsi altrettanto divertente.

Con tutti quegli impegni, ebbe poco tempo di pensare all'imminente arrivo di Jamie, che aveva accettato di pranzare con lei nel caffè della porta accanto, dove si vendevano anche piante in vaso. Eddie disse che avrebbe mangiato in negozio e che non aveva bisogno di fare la pausa, così Isabel riuscì ad andarsene all'una, appena arrivò Jamie.

Il caffè non era affollato e trovarono senza problemi due posti vicino alla vetrata.

«Sembra di mangiare nella giungla» osservò Isabel indicando le palme dietro di sé.

«Ma senza insetti» disse Jamie, dando un'occhiata alla palma, dietro la quale spuntava una grande *Monstera deliciosa*. Poi proseguì: «Sono molto contento che siamo riusciti a vederci. Non volevo parlarne per telefono».

«Non c'è problema» ribatté Isabel. Ed era vero. Era un piacere vederlo, ora che era lì in carne e ossa i suoi sentimenti «inappropriati» sembravano appartenere al passato, dimenticati del tutto. Era Jamie, nient'altro che un amico, anche se era un amico che le piaceva tanto.

Jamie abbassò la testa, come se stesse osservando la tovaglia. Isabel gli guardò gli zigomi, e quei capelli a spazzola. Quando alzò gli occhi, incrociò il suo sguardo e lo sostenne: con quella luce aveva gli occhi quasi grigi. Occhi dolci, pensò lei. Era questo che glielo faceva sembrare così bello.

«Hai conosciuto una persona» gli venne in aiuto.

«Sì.»

«E allora?»

«Allora, non so bene cosa fare. Sono felice, credo, ma anche molto confuso. Ho pensato che visto che sei...»

«La direttrice della 'Rivista di etica applicata'» continuò lei.

«E un'amica» ribadì Jamie. «La mia migliore amica, probabilmente.»

A nessuna donna piace sentirsi dire questa frase da un uomo, pensò Isabel. Anche se loro ti pensano in quei termini, quasi nessuna se lo vuole sentir dire. Però si limitò ad annuire e Jamie proseguì: «La difficoltà è che questa persona, questa donna che ho conosciuto, non è una di cui pensavo di innamorarmi. Non l'avevo previsto. Davvero».

«Le frecce di Cupido sono così» disse Isabel delicatamente. «Sono imprecise. Scagliate a caso.»

«Già» concordò Jamie. «Di solito però si ha almeno un'idea generale del tipo di persona che ci piace. Una come Cat, per esempio. E poi si presenta un'altra e *bam*!»

«Sì, *bam*!» disse Isabel. «È così che succede, no? E perché opporsi? È capitato. Accettalo e sfruttalo al meglio. A meno che non sia un amore impossibile, certo, eventualità difficile oggigiorno. Ma non siamo più all'epoca dei Montecchi e dei Capuleti, barriere sociali e cose del genere si superano. Anche essere dello stesso sesso non è un problema, oggi.»

«È sposata» disse d'un fiato Jamie e poi tornò a fissare la tovaglia.

Isabel trattenne il respiro.

«Ed è più grande di me» proseguì il ragazzo. «Ha più o meno la tua età.»

Non era pronta a questo. Le si doveva essere dipinto in faccia il disappunto. Jamie fece una smorfia. «Sapevo che mi avresti disapprovato. Era ovvio.»

Isabel aprì bocca per dire qualcosa, per negare, ma lui non la lasciò parlare. «Non avrei dovuto disturbarti. Avrei fatto meglio a non dirtelo.»

«No. Invece sono contenta che tu me l'abbia detto.» Fece una pausa per raccogliere le idee. «È una notizia sconvolgente, però. Non mi sarei immaginata...» Non finì la frase. A offenderla era che fosse una donna della sua età. Che Jamie potesse desiderare una coetanea o una ragazza più giovane, poteva capirlo. Ma un'avversaria della sua stessa età, non se l'aspettava proprio.

«Non l'ho voluto io» proseguì Jamie, che aveva l'aria distrutta. «E adesso non so cosa fare. Mi sento... come mi sento? Be', come se stessi facendo qualcosa di sbagliato.»

«Ed è così» ribadì lei. Poi s'interruppe. «Scusa, non volevo essere insensibile, ma... non credi che sia sbagliato partecipare a un inganno, cosa che di solito si accompagna all'adulterio? Non è sempre così. Spesso sì, però. C'è una persona la cui fiducia viene tradita. Promesse infrante.»

Jamie guardò la tovaglia, seguendo un disegno immaginario con il dito. «Ci ho pensato. Ma in questo caso il matrimonio è praticamente finito. Lei dice che, anche se sono ancora sposati, fanno vita separata.»

«Ma stanno ancora insieme?»

«Pro forma.»

«Vivono insieme?»

Jamie esitò. «Sì, ma lei sostiene che preferirebbero vivere separati.»

Isabel lo guardò. Allungò la mano e gli sfiorò il braccio. «Cosa vuoi che ti dica, Jamie? Che va bene? È questo che vuoi?»

Jamie scosse la testa. «Non credo. Volevo solo parlartene.»

Arrivò il caffè con il latte ordinato da Isabel, che prese la grande tazza bianca in cui gliel'avevano servito. «È comprensibile. Ma dovresti tenere a mente che non posso dirti io cosa fare. Conosci perfettamente i problemi a cui vai incontro. Non hai quindici anni. Magari vuoi la mia benedizione, vuoi che ti dica che è tutto accettabile, ma è solo perché ti senti in colpa e hai paura.» S'interruppe, ricordando un verso di una poesia di WHA: «*Mortale, colpevole, ma per me / bellissimo*». Sì, era appropriato a quel momento.

A Jamie non era andata via la tristezza dalla voce. «Sì, mi sento in colpa. E certo volevo che tu mi dicessi che andava tutto bene.»

«Be', non posso» disse Isabel con dolcezza. Gli prese la mano e gliela strinse a lungo. «Questo non posso proprio dirtelo, lo capisci?»

Jamie annuì. «Sì.»

«E allora?»

«Potresti permettermi di parlarti di lei» propose Jamie a voce bassa. «Era questo che volevo fare.»

Isabel capì. Era innamorato. Quando amiamo qualcuno ci viene spontaneo parlarne, vogliamo vantarcene, come se si trattasse di un trofeo sentimentale. Pensiamo che questa persona possa suscitare negli altri il fascino che esercita su di noi: vana speranza, gli amanti altrui raramente ci interessano. Però ascoltiamo pazientemente, da buoni amici, e così fece Isabel in quel momento, astenendosi da commenti se non per incoraggiare Jamie a proseguire il racconto, una confessione di umana fragilità e di speranza.

6

Il giorno dopo fu Eddie ad aprire la gastronomia. Quando arrivò Isabel, il ragazzo aveva già preparato il caffè e gliene stava versando una tazza proprio mentre lei entrava.

«È tutto pronto» le disse, porgendole la tazza. «Ho chiesto a quelli delle consegne se possono venire oggi pomeriggio. Hanno detto che ce la fanno.»

«Che efficienza» commentò Isabel, sorridendo, seminascosta dietro la tazza di caffè. «In realtà non credo che tu abbia bisogno di me.»

Sul viso di Eddie si dipinse l'apprensione. «No, al contrario.»

«Dicevo per dire» aggiunse subito Isabel. Si era accorta che Eddie prendeva tutto alla lettera: forse aveva la sindrome di Asperger. È una malattia che progredisce per gradi, e la sua poteva essere una manifestazione blanda. Questo avrebbe spiegato la sua timidezza e quell'insolita ritrosia.

Isabel si sedette alla scrivania di Cat, con il caffè davanti. La posta del mattino, ritirata da Eddie, non conteneva niente di importante, tranne un'inspiegabile fattura di cui si richiedeva il pagamento nel giro di una settimana. Chiese lumi al ragazzo, ma lui si strinse nelle spalle. C'era anche la lettera di un fornitore che avvertiva di un ritardo nella consegna di una partita di mozzarella di bufala da parte del produttore italiano, cosa che avrebbe fatto ritardare anche lui. Eddie disse che non c'era problema, ne avevano ancora una bella scorta.

Cominciarono ad arrivare i clienti. Isabel vendette piccole confezioni di olive e pomodorini secchi. Tagliò formaggi, incartò pane, cercò sugli scaffali le scatolette di filetti di sgombro. Scambiò due chiacchiere con i clienti, sul tempo, sul contenuto dello «Scotsman» di quel giorno e sugli sviluppi dell'edilizia locale, di cui non era certo un'esperta. La mattina passò così, e neppure una volta, notò, ebbe occasione di pensare alla filosofia morale. Le diede da riflettere: la maggior parte della gente viveva così, agendo anziché pensando. Le cose le facevano, senza stare a rimuginarci troppo. La filosofia era un lusso, insomma, il privilegio di chi non doveva passare il tempo a tagliare formaggio e a incartare pane. Visto dal banco dei latticini, Schopenhauer sembrava lontano mille miglia.

Se non c'era tempo di riflettere sulle questioni della «Rivista di etica applicata», ce n'era abbastanza per pensare a Jamie. Tutta la sera precedente, mentre si portava in pari con il lavoro della rivista, Isabel non aveva fatto che ritornare alla loro conversazione. La notizia della sua infatuazione per Louise – il nome era l'unico particolare che le aveva rivelato – all'inizio l'aveva turbata, e dopo un po' l'aveva intristita. Che situazione poco romantica, per quanto Jamie potesse tingerla di rosa. Era chiaro che lui si era lasciato prendere, ma Isabel dubitava davvero che quella potesse ricambiarlo. Di Louise si era fatta l'idea di una donna annoiata e forse indurita, la quale continuava a vivere con un marito che probabilmente la tradiva perché le garantiva la sicurezza economica. Non avrebbe lasciato il marito, ma Jamie poteva essere il suo modo di vendicarsi di un uomo che la trascurava. Era proprio la strategia che alcuni consigliavano alle mogli tradite: fateli ingelosire. Jamie, più giovane, bello e con il fascino del musicista, era perfetto per questo scopo.

Isabel pranzò a uno dei tavolini della gastronomia. Mentre Eddie si occupava dei clienti, lei prese una copia del «Corriere della Sera» e passò in rassegna le notizie. Parecchie pagine erano dedicate alle scaramucce fratricide dei politici italiani: voltafaccia nelle coalizioni e miope ricerca dell'interesse immediato, con i bugiardi più incalliti che accusavano gli altri di mentire. C'era anche una dichiarazione del papa sull'importanza dei pronunciamenti della Santa Sede.

Isabel sollevò gli occhi dal giornale per prendere il panino. In piedi davanti al tavolo c'era un uomo con un piatto in mano che fece un cenno in direzione del posto vuoto.

«Posso?»

A quel punto Isabel si accorse che gli altri tavolini si erano riempiti, mentre leggeva. Sorrise al nuovo venuto. «Ma certo. In effetti non dovrei fermarmi a lungo. Lavoro qui, sa.»

L'uomo si sedette, con il piatto davanti. «Sono sicuro che ha bisogno di una pausa, come tutti.»

Isabel sorrise. «Non lavoro qui davvero. Sostituisco mia nipote.» Guardò il piatto dell'avventore: una piccola porzione di pomodori in insalata, qualche nocciolina e una sardina. Era a dieta, anche se non sembrava averne bisogno. Poteva avere circa cinquantacinque anni, pensò Isabel, e di certo non era in sovrappeso. Il contrario, semmai. Aveva quell'aria che Grace definiva «distinta», mentre lei preferiva usare l'aggettivo «intelligente».

L'uomo si accorse che Isabel stava guardando il suo

piatto. «Poca roba» disse mestamente. «Ma bisogna fare di necessità virtù.»

«Deve stare attento al cuore?» s'informò Isabel.

Lui annuì. «Sì.» S'interruppe, spostando la sardina al centro dell'insalata. «È nuovo.»

«Il piatto?» domandò lei, comprendendo con un istante di ritardo cosa intendeva l'uomo.

Arrossì, cercando di giustificarsi, ma l'avventore la fermò sollevando una mano. «Mi scusi, non sono stato chiaro. Ho appena subito un trapianto di cuore, e il dottore mi ha prescritto una dieta ferrea. Insalata, sardine, cose di questo genere.»

«Vere leccornie» commentò lei. Una battuta un po' fiacca, si disse.

«Della nuova dieta non mi lamento. Mi sento molto meglio, non soffro la fame.» Fece una pausa, mettendosi una mano sul petto. «E a questo cuore... al mio cuore dovrei dire ormai, sembra che questa dieta faccia un gran bene... con l'aiuto degli immunosoppressori.»

Isabel sorrise, affascinata. «Ma è davvero il suo cuore. Almeno, adesso lo è. Gliel'hanno donato.»

«Ma è anche il cuore di quell'altro» ribadì l'uomo. «Almeno, so che era un uomo. Se fosse stata una donna, sarebbe stata una cosa un po' strana, no? Un uomo con un cuore di donna. Una nuova specie, non le pare?»

«Forse. Ma m'interessa quello che ha detto: il cuore di quell'altro. Le cose che possediamo rimangono nostre, anche quando le cediamo ad altri, non crede? L'altro giorno ho visto passare una donna alla guida della mia vecchia macchina e ho pensato che stava guidando la mia auto. Ci dev'essere una specie di eco, che fa persistere la proprietà anche quando non siamo più in possesso delle cose.»

L'uomo prese coltello e forchetta per cominciare a mangiare, e Isabel si scusò: «Mangi pure, mi dispiace. Dovrei smetterla di pensare ad alta voce».

Lui si mise a ridere. «No, la prego, prosegua pure Ogni tanto mi piace parlare di cose meno superficiali. Di solito ci si scambiano solo battute banali. E invece lei si è lanciata in una dissertazione linguistica, o forse dovrei dire filosofica. E tutto a partire da un piatto di pomodori e sardine. Mi piace.» Fece una pausa. «Quando si vivono certe esperienze, se si vede la morte da vicino, ci si accorge di avere sempre meno tempo per le chiacchiere.»

«È comprensibile» disse Isabel, sbirciando l'orologio. Alla cassa si stava già formando una breve fila di clienti e Eddie, rivolto in direzione del suo tavolo, le lanciò con lo sguardo una richiesta d'aiuto.

«Mi dispiace» gli disse. «Devo tornare al lavoro.»

L'uomo le sorrise. «Ha detto che di solito non lavora qui. Posso chiederle cosa fa normalmente?»

«La filosofa» rispose Isabel, alzandosi in piedi.

«Ottimo» commentò lui.

Parve deluso che lei si allontanasse dal tavolo, e anche a Isabel dispiaceva piantarlo in asso. Ce n'erano di cose da dire, pensò, sui cuori e sul loro significato. La incuriosiva sapere cosa si provava nel sentirsi battere nel petto un organo altrui, un pezzo di vita estratto a un'altra persona, ma ancora pulsante. Come si dovevano sentire i parenti del donatore, sapendo che era ancora in vita una parte di un loro familiare. (Isabel si rifiutava di usare l'espressione «caro estinto», che le richiamava alla mente il mondo di chi la usava tanto spesso: i becchini, quelli americani soprattutto.) Forse quell'uomo, chiunque fosse, lo sapeva e avrebbe potuto dirglielo. Nel frattempo, c'erano formaggi da tagliare e pomodorini secchi da pesare: questioni di importanza immediata molto superiore ai trapianti di cuore e a ciò che potevano significare.

Quella sera avrebbe preferito non fare nulla, ma non poteva. Era stata una giornata pesante, con molti più clienti del solito, che avevano tenuto impegnati lei e Eddie fin quasi alle sette. Tornata a casa, rimase scoraggiata alla vista della posta da controllare, ordinatamente impilata da Grace sulla scrivania. Era evidente, c'erano nuovi manoscritti. Cosa le sarebbe piaciuto fare? Una cena leggera nella saletta che dava sul giardino, poi una passeggiatina all'aperto, in cui magari avrebbe intravisto di sfuggita Compare Volpone: così chiamava la volpe di città che passava parte della sua vita riservata e nascosta all'interno del suo giardino. Poi, un lungo bagno caldo. Era impossibile, però, perché la posta inevasa avrebbe cominciato ad accumularsi, facendole sentire il fiato sul collo, accogliendola con un rimprovero ogni volta che entrava nello studio. Non aveva alternative, doveva lavorare. Si era appena decisa, quando suonò il telefono. Jamie le annunciava che lui e Louise sarebbero passati da quelle parti mentre andavano a Balerno, che non era di strada, pensò lei senza dirlo. Le dispiaceva se si fermavano a bere una cosa? Isabel avrebbe voluto dire che le dispiaceva sì, ma pur avendo sotto gli occhi la pila di posta da smaltire rispose che non c'era problema. Questa risposta le fece tornare in mente il concetto di *akrasia*, la debolezza della volontà, a causa della quale facciamo quello che desideriamo davvero pur sapendo perfettamente che dovremmo agire in maniera diversa. Ma perché mai avrebbe dovuto desiderare di vedere Jamie e Louise? Curiosità, fu la risposta che si diede.

Dopo la telefonata non riuscì a combinare più niente. La cena non le interessava più, e nonostante un tentativo di esaminare la posta, non riusciva a concentrarsi. Lasciò perdere. C'erano già più di venti pacchi voluminosi, e l'indomani ne sarebbero arrivati altri cinque o sei – certi giorni ne arrivavano anche di più – e dopodomani altri ancora. Neppure il pensiero di tutte quelle lettere, più di centocinquanta in un mese, trecento in un bimestre, riuscì a motivarla. Finì per andare a sedersi nel salotto che dava sulla strada, a sfogliare una rivista aspettando l'arrivo di Jamie. Andavano a Balerno, aveva detto. Era un sobborgo a ovest di Edimburgo, con belle case residenziali, ciascuna con il proprio giardino. Quelle case fissavano il mondo con finestre che sembravano in tutto e per tutto due occhi rettangolari. Balerno era un quartiere tranquillo, una località rispettabile in cui non succedeva mai niente al di fuori dell'ordinario.

Poi a Isabel venne in mente una cosa che le avevano riferito molto tempo prima, quando era ancora una scolaretta, forse appena adolescente. Una persona le aveva raccontato – o meglio, sussurrato – che i sobborghi di Edimburgo avevano la fama di essere meta delle coppie clandestine. Balerno era uno dei più rinomati. Sì, gliel'aveva raccontato una ragazza, che poi si era messa a ridacchiare come fanno sempre le adolescenti. Non sembrava poi così strano, a pensarci. Chi si ritrovava confinato in un quartiere residenziale di periferia, forse sentiva il bisogno di un po' d'avventura, e così nascevano le scappatelle extraco niugali, dopo le feste delle agenzie di assicurazioni in città, o durante i weekend di aggiornamento professionale negli alberghi del Pertshire. Attimi d'eccitazione rubati, a fare da antidoto al vuoto di una vita troppo prevedibile.

Jamie si era fatto trascinare in quel mondo, per questo

stava andando a Balerno. Isabel rabbrividì all'idea. Non era un'avventura romantica: poteva portare solo disgusto e vergogna. E il povero Jamie si era fatto intrappolare da quella Louise, più vecchia di lui, alla quale probabilmente non importava nulla delle sue doti di musicista o delle sue qualità morali: per lei era solo un passatempo.

Bastava pensare a una come Louise, ai valori che incarnava, perché venisse una gran rabbia. Isabel non avrebbe permesso che accadesse. È sempre un errore, si disse, arrovellarsi sulla causa della propria rabbia, come faceva la moglie di Tam O'Shanter nel poema di Burns, «carezzando la sua collera per tenerla calda». No, pensò Isabel. Questa Louise devo farmela andare a genio, è mio preciso dovere. Non per l'obbligo morale di farsi piacere chiunque – bisognerebbe essere dei santi –, ma perché so che Jamie spera che lei mi piaccia.

Mentre rifletteva sui doveri dell'amicizia, suonò il campanello. Aprendo la porta, dall'espressione di Jamie capì immediatamente di averci visto giusto: aveva uno sguardo strano, un misto di speranza e preoccupazione. Avrebbe voluto andargli vicino e sussurrargli di non preoccuparsi. Non poteva, però, perché dietro di lui c'era Louise, che sembrava stesse scrutando il cielo della sera.

Li invitò a entrare. Fecero le presentazioni nell'atrio. Jamie non disse il cognome di Louise, mancanza di galateo ormai cronica, che Isabel non commentava neanche più, talmente tanta era la gente che al giorno d'oggi si presentava solo per nome. In quel caso, però, poteva esserci un motivo. La donna si accompagnava a Jamie alla luce del sole, o era meglio agire con una certa discrezione?

Isabel guardò Louise e sorrise. Si trovò davanti più o meno quel che si aspettava: una donna di quasi quarant'anni, statura media, gonna rossa al ginocchio e una casacca verde militare del genere in voga in Occidente all'epoca della moglie di Mao: uno stile contadino-chic che era una vera perversione. Gonna e casacca, però, erano costose e quella donna dava la sensazione, così sembrò a Isabel, di essere abituata alla ricchezza e alle comodità. Il benessere materiale dà alle persone una sicurezza peculiare, l'incrollabile certezza che le cose sono a nostra disposizione se le desideriamo. Era proprio l'aria che aveva Louise. I ricchi sono sempre a loro agio, pensò Isabel. Non si sentono mai fuori posto.

Il viso – zigomi alti e grandi occhi scuri – le ricordava quelli di alcune riproduzioni della Natività dipinte da certi artisti che cercavano di cogliere lo spirito dell'Italia rinascimentale. Indubbiamente era un bel viso, poteva raggirare qualsiasi uomo, anche uno giovane, pensò Isabel. Non era un pensiero caritatevole, e dovette ricordarsi di sorridere mentre stringeva la mano a Louise, che ricambiò sguardo e sorriso. Evidentemente anche lei stava facendo i suoi calcoli: chi era Isabel, cosa contava per Jamie. Una rivale? Certo, anche Isabel era bella, ma era una filosofa, sepolta tra i suoi libri, superiore a certe cose: i giovanotti, le scappatelle e tutto il resto.

Andarono in salotto e Isabel offrì loro del vino bianco. Jamie si offrì di versarlo, e Isabel notò che a Louise non era sfuggita la familiarità di quel gesto. Ne fu compiaciuta: non c'era niente di male nel farle capire che lei e Jamie erano amici da anni.

«Alla vostra» disse Isabel, sollevando il bicchiere prima verso Jamie e poi verso Louise. Si sedettero e la donna scelse il divano, battendo discretamente con il palmo accanto a sé, una specie di segnale in codice perché Jamie si sedesse vicino a lei. Infatti, così fece.

Isabel sedette di fronte a loro e guardò Jamie. Non si dissero niente, ma Louise colse lo sguardo che si scambiarono e aggrottò la fronte quasi impercettibilmente, quanto bastava perché Isabel se ne accorgesse.

«Devo andare a Balerno a dare un'occhiata a un fagotto» disse Jamie. «Uno dei miei allievi abita lì e gli hanno offerto uno strumento, ma non riesce a portarlo in città. Così vado a vedere se vale la pena che lo compri. È una cosa un po' complicata.»

Isabel annuì. Jamie era spesso alle prese con i fagotti. «Pensavo che ci abitasse Louise» commentò lei.

La donna alzò lo sguardo di scatto. «A Balerno?»

Isabel le rivolse un sorriso disarmante. «Mi sbagliavo. Abita in città?»

Louise annuì, ma per quanto Isabel aspettasse qualche dettaglio, la donna non rivelò altro.

«Louise lavora alla National Gallery» intervenne Jamie. «Part time, ma è piuttosto interessante, vero Louise?»

«Sì, quasi sempre» disse lei.

«Be', è un lavoro che le permette di viaggiare» spiegò Jamie. «Non sei andata a portare un quadro a Venezia qualche giorno fa? E l'hai dovuto far viaggiare sul sedile accanto al tuo, nella sua custodia.»

«Sì, è vero.»

Jamie guardò Isabel, nervoso, e lei commentò: «Immagino che non si possano caricare i quadri nella stiva quando li si presta a un altro museo per una mostra».

«No» confermò Louise. «Quelli piccoli viaggiano insieme a noi sull'aereo. Hanno il biglietto.»

«Ma non il pranzo» disse Jamie, cercando di fare una battuta.

Per qualche istante calò il silenzio. Isabel sorseggiò il

vino. Aveva voglia di chiedere a Louise: «E suo marito cosa fa?» La solleticava, proprio perché era una di quelle cose che non si facevano, contro ogni regola del bon ton. In quella situazione, non si doveva toccare il tasto del marito, il convitato di pietra. Avrebbe potuto chiederlo facendo la finta tonta, come se non avesse idea della natura del rapporto che c'era tra Jamie e quella donna; lui però avrebbe capito che lo faceva apposta e ci sarebbe rimasto male. Aveva poco da lamentarsi, comunque, visto che gliel'aveva portata in casa per pavoneggiarsi. Non capiva che quell'incontro la faceva soffrire? Era troppo aspettarsi che percepisse la sua infelicità?

Isabel sollevò il bicchiere e bevve un altro sorso di vino. Louise, che le sedeva di fronte, aveva cominciato a giocherellare con un bottone del piumino. È a disagio, pensò Isabel. Non vuole stare qui. Non le interesso. Ai suoi occhi lei è quella avventurosa, passionale, alla moda, la donna che può avere un uomo più giovane come niente. E a me, alla filosofa, non resta nulla. La osservò. La vide spostare lo sguardo sulla mensola del caminetto e guardare i quadri con disprezzo, ignara del fatto che Isabel la stesse tenendo d'occhio. Per lei sono una nullità, si disse. Non sono degna di nota. Be', allora...

«E suo marito cosa fa?» le chiese.

7

Aveva deciso di scusarsi, almeno con Jamie. Il giorno dopo, però, non ebbe il tempo di sentirsi in colpa, né di fare una telefonata per confessargli quanto fosse dispiaciuta. Appena arrivata in negozio per l'apertura mattutina, le consegnarono una partita di formaggi da un produttore del Lanarkshire. Bisognava aprire le confezioni una per una, prezzarle e metterle in esposizione. Ci pensò lei, mentre Eddie preparava il caffè; poi arrivò un'ondata di clienti chiacchieroni che la tennero impegnata in conversazioni estenuanti. Una signora anziana, che aveva scambiato Isabel per Cat, continuava a chiamarla con il nome della nipote. Poi vide un ladro che mangiava una tavoletta di cioccolato, senza averla pagata, e si infilava un vasetto di cuori di carciofo in tasca. Perlomeno abbiamo dei ladri che se ne intendono, si disse, guardandolo scappare per la strada: cuori di carciofo e cioccolato belga.

All'una in punto fece segno a Eddie di mettersi alla cassa, mentre lei faceva la pausa pranzo. Prese un bagel e qualche fetta di salmone affumicato e si spostò nella zona dei tavolini. Erano tutti occupati, e anche le sedie. C'era un posto libero al tavolo del cliente con cui aveva pranzato il giorno prima, intento a leggere il giornale davanti a una frugale ciotola di insalata. Non l'aveva vista, e Isabel esitò. Non era sicura di volersi sedere lì senza essere stata invitata, e stava per tornare in ufficio a pranzare in mezzo ai calendari e ai cataloghi, quando l'uomo alzò gli occhi dal quotidiano. Le sorrise, indicandole la sedia libera.

Mise da parte il giornale. «La vedo molto impegnata.»

Isabel si guardò intorno. «Molto meglio così. Ho scoperto che mi piace avere da fare.»

«Anch'io ero così. Sempre impegnato. Adesso ammazzo il tempo leggendo il giornale o facendo compere per mia moglie.»

L'accenno alla moglie non se l'aspettava: aveva dato per scontato che un uomo che pranzava da solo in una gastronomia dovesse essere single.

«Lavora?»

«Fa la psicologa, come me. O meglio, come me una volta. Ho smesso poco prima dell'operazione.»

Isabel annuì. «Giusto, immagino, se si è stati molto malati. Non c'è alcun bisogno...»

«Di affrettare l'appuntamento con il crematorio di Mortonhall» la interruppe lui. «No, ho smesso e, le dirò, non ne sento affatto la mancanza.»

Isabel spezzò in due il bagel e diede un morso a uno dei due pezzi.

«Continuo a leggere le riviste specializzate» proseguì, guardandola mangiare. «Così mi tengo ancora aggiornato, anche se in psicologia non si fanno più scoperte assolutamente nuove e sorprendenti. Credo che la nostra comprensione del comportamento umano non sia molto migliorata rispetto ai tempi di Freud... per quanto sia terribile ammetterlo.»

«Ma sicuramente ne sappiamo di più. Cosa ne pensa del cognitivismo?»

L'uomo inarcò un sopracciglio. Una disquisizione sulla scienza cognitiva non era certo quel che ci si aspettava di solito dalla commessa di una gastronomia, ma poi si ricordò che Isabel era una filosofa di professione. Forse era giusto così: nelle gastronomie di Edimburgo ci si poteva imbattere in commessi filosofi, e nei ristoranti di Buenos Aires, per dire, in camerieri psicanalisti: *l'asado* è ciò che desidera davvero, signore?

L'uomo prese una foglia di lattuga. «La scienza cognitiva ha dato un contributo significativo alla nostra conoscenza dei meccanismi cerebrali e del modo in cui vediamo il mondo. Ma il comportamento è una cosa più intricata: dipende dalla personalità, da come essa ci spinge ad agire. È complicato, non si tratta solo dei percorsi neurali.»

«Be', bisogna considerare anche la genetica» aggiunse Isabel, dando un altro morso al bagel. «Pensavo che la genetica comportamentale potesse spiegare gran parte delle nostre azioni. Cosa ne dice di tutti quegli studi sui gemelli?»

«A proposito, mi chiamo Ian» disse l'uomo, e lei rispose: Isabel Dalhousie, calcando la voce sul cognome. «Gli studi sui gemelli, sì, sono molto interessanti.»

«Non dimostrano forse che a prescindere dalle influenze ambientali, le persone si comportano in un certo modo per questioni ereditarie?»

«No. Dimostrano solo che nel comportamento c'è una componente genetica. Ma non è l'unico fattore.»

Isabel non era convinta. «Eppure, da qualche parte ho letto le storie delle coppie di gemelli separati alla nascita, in America tornano di moda periodicamente. Quando li mettono a confronto, gli scienziati scoprono che i gemelli amano gli stessi colori, votano allo stesso modo e danno le stesse risposte ai ricercatori.»

Ian si mise a ridere. «Sì, sono storie fantastiche. Hanno svolto ricerche del genere in Minnesota. In un caso, due gemelli separati alla nascita hanno sposato due donne con lo stesso nome, divorziando quasi nello stesso momento per poi risposarsi. E anche le seconde mogli si chiamavano allo stesso modo. Le prime erano due Betty, le altre due Joan.» Fece una pausa. «Del resto, il Midwest pullula di Betty e di Joan.»

«Comunque le probabilità sono lo stesso molto scarse» ribatté Isabel. «Le due Betty non erano troppo improbabili, ma le due Joan sì. Non sono un'esperta di statistica, ma suppongo che si parli di chance infinitesimali.»

«Eppure accadono anche le cose più improbabili» disse Ian. «E questo può rovesciare tutte le nostre convinzioni. È la teoria dell'unico corvo bianco, no?»

Isabel lo guardò interdetta, e lui proseguì: «È una tesi di William James. La scoperta di un unico corvo bianco metterebbe in discussione l'idea che tutti i corvi sono neri. È un'efficace metafora per sottolineare che non ci vorrebbe molto a mettere in dubbio qualcosa che diamo per assodato».

«Come l'affermazione che i corvi sono neri.»

«Esattamente.»

Isabel lanciò un'occhiata a Ian. Stava guardando nell'altra direzione, fuori dalla vetrina del negozio. All'esterno, in strada, si era fermato un autobus per far scendere due passeggeri: una signora di mezza età con un cappotto troppo pesante per quella giornata, e una ragazza con una maglietta dalla scritta scolorita per un lavaggio sbagliato.

«Ha l'aria preoccupata» gli disse. «Si sente bene?»

Lui si girò a guardarla. «Quella citazione di William James l'ho trovata di recente su un articolo. E ci ho scoperto un riferimento alla mia situazione.»

Isabel aspettò che proseguisse. Ian aveva preso in mano il giornale e l'aveva ripiegato, passando un dito all'interno della piega. «Introduceva un articolo sui risvolti psicologici dei trapianti, argomento che ovviamente per me è di un certo interesse.»

Isabel sentì di dovergli dare un incoraggiamento: «Immagino che siano problemi seri. Dev'essere una complicazione notevole per l'organismo. Vale per tutte le operazioni, in diversa misura».

«Certo. Ma questo articolo trattava un argomento molto specifico: la memoria cellulare.»

Isabel attese che si spiegasse, ma l'uomo guardò l'orologio. «Senta, mi dispiace, ma devo scappare. Ero d'accordo con mia moglie di vederci dieci minuti fa, poi lei deve tornare in ufficio. Non posso farle fare tardi.»

«Ma certo» disse Isabel. «Sarà meglio che vada.»

Ian si alzò, prese il giornale e la ciotola dell'insalata ormai vuota. «Potrei parlargliene? Le andrebbe di discuterne in un altro momento?»

Lo disse con un tono così vulnerabile, che Isabel decise di non poter rifiutare la sua richiesta, neanche volendo. Tra l'altro, aveva solleticato la sua curiosità. Era la sua debolezza, il vizio che la spingeva tanto di frequente a intervenire nella vita degli altri. Non riusciva proprio a resistere. «Certo, volentieri» rispose. Gli scribacchiò il proprio numero di telefono sul giornale, invitandolo a chiamarla per mettersi d'accordo. Poteva andare da lei per un bicchiere di vino, se la sua dieta glielo consentiva.

«Sì» affermò lui. «Un bicchierino minuscolo, quasi invisibile a occhio nudo.»

«Di quelli che servono ad Aberdeen» disse Isabel.

«Esattamente» confermò Ian con un sorriso. «In effetti, è proprio da lì che vengo.»

«Mi dispiace» si affrettò a dire Isabel. «Ho sempre trovato gli abitanti di Aberdeen molto generosi.»

«Be', forse sì. Siamo generosi, nella nostra parsimonia. Comunque, in modica quantità il vino va bene. Invece, mi hanno imposto di rinunciare al cioccolato. Questa sì che è un'impresa. Più ci penso, e più mi viene voglia.»

Isabel concordava. «Il cioccolato è al centro di grosse discussioni filosofiche. Ci dice molto sulle tentazioni e sull'autocontrollo.» Ci pensò su un momento. Era davvero un argomento appassionante, il cioccolato, a pensarci bene. «Sì» concluse, «il cioccolato è una dura prova, vero?»

Il pomeriggio passò come la mattina, in mezzo a un turbinio di attività. Isabel si ritrovò di nuovo stanca al momento di chiudere la porta d'ingresso e i battenti. Eddie se n'era andato qualche minuto prima per un motivo non meglio specificato, borbottando una spiegazione del tutto incomprensibile, e non le restava che chiudere tutto da sola. Diede un'occhiata all'orologio. Le sette. Doveva ancora chiamare Jamie. Se l'avesse fatto in quel momento, però, era possibile che ci fosse Louise con lui, e non avrebbe potuto parlare liberamente. Sempre che fosse ancora disposto a rivolgerle la parola, ovviamente, dopo il disastro della sera prima. Quando Isabel aveva tirato in ballo il marito, con la sua domanda imperdonabilmente maliziosa, Louise era ammutolita e non le aveva risposto. La tattica aveva funzionato, Isabel se n'era accorta. Pur continuando a ostentare la sua studiata aria blasé, ormai Louise vedeva la sua ospite sotto una nuova luce. Jamie, turbato, aveva bevuto il vino d'un fiato prima di far presente che era ora di partire per Balerno. Alla porta si erano congedati in modo piuttosto formale.

Isabel si era pentita quasi subito della scortesia – perché quello era: aveva messo in imbarazzo un'ospite –, per quanto la donna se la fosse andata a cercare. Era stato un comportamento meschino, che oltretutto rischiava di ritorcersi contro di lei. Niente era più facile da spezzare dei legami d'amicizia, per quanto all'apparenza forti, lei lo sapeva bene. L'amicizia creava aspettative. Si poteva trascurare un amico, deluderlo magari, ma non si poteva agire in maniera da ferirlo deliberatamente.

Non si potevano rimandare le scuse. Isabel ricordava quello che aveva detto suo padre riguardo alle scuse rivolte dal Giappone ai cinesi per il comportamento che avevano tenuto in Manciuria. Quarant'anni dopo: un po' tardi, aveva osservato suo padre, aggiungendo che forse certe cose non si potevano fare di fretta.

«Jamie?»

All'altro capo della linea ci fu una leggera esitazione, segno inequivocabile di risentimento. Era quella pausa che vuol dire: «Ah, sei tu...»

«Sì.»

Isabel fece un bel respiro. «Immagini già perché ti ho chiamato.» Un'altra pausa di silenzio. Ovviamente se lo immaginava.

«No.»

«Per ieri sera. Mi sono comportata male e posso solo dirti che mi dispiace. Non so cosa mi è preso. Forse un attacco di gelosia.»

Le rispose immediatamente. «Perché dovresti essere gelosa?»

Non capisce, pensò lei. Non ne ha idea. Non doveva esserne sorpresa.

«Ci tengo alla tua amicizia» gli disse. «Certe persone possono sembrare una minaccia per l'amicizia, e ho pensato... be', temo di aver pensato che Louise non fosse minimamente interessata a me, che mi avrebbe tagliata fuori dalla tua vita. Sì, dev'essere stato questo. Pensi di riuscire a capirlo?»

Fece una pausa e nella cornetta sentì il respiro di Jamie. Seguì un momento di silenzio, mentre tutti e due erano incerti su chi dovesse parlare.

«Nessuno resterà tagliato fuori» iniziò a dire lui. «E comunque ieri sera non è andata bene. Tu non c'entri. Avevamo già litigato prima di venire da te, e poi le cose sono peggiorate. Temo sia finita.»

Isabel alzò gli occhi al cielo. Non aveva osato sperare tanto, ma era proprio quello che si era augurata, seppure inconsciamente. E molto prima di quanto le paresse possibile. Certo, le persone s'innamoravano e disamoravano molto in fretta. Era questione di minuti, a volte.

«Che peccato» sussurrò Isabel. «Mi dispiace molto.»

«Non è vero» ribatté seccamente Jamie.

«Hai ragione» confermò lei. Fece una pausa. «Ne troverai un'altra. È pieno di ragazze in giro.»

«Non voglio una ragazza qualsiasi» replicò Jamie. «Voglio Cat.»

8

«E Salvatore?» chiese Isabel. «Raccontami com'era.»

«Affascinante» rispose Cat, guardando la zia negli occhi. «Proprio come avevo previsto.»

Erano sedute nel gazebo del giardino sul retro della casa di Isabel, una domenica pomeriggio, poco dopo il ritorno della ragazza dall'Italia. Faceva un caldo insolito per Edimburgo, dove l'estate riservava sempre strane sorprese. Una giornata del genere andava gustata appieno. Isabel era abituata al clima scozzese anche se, come tutti, si lamentava della frequenza con cui il cielo tendeva a scomparire dietro strati di nuvole che si spostavano rapidissime. Lo trovava più congeniale di quello mediterraneo. Il clima metteva alla prova il carattere, secondo lei: non lo aveva detto anche Auden? Le persone gentili, sosteneva il poeta, accettavano con garbo le variazioni meteorologiche; quelle cattive, reagivano male.

Cat era un'eliofila, se si poteva usare una parola del genere per gli amanti della tintarella. L'estate italiana, ombre corte e vento secco, le sarebbe andata particolarmente a genio. A Cat piacevano le spiagge e i mari caldi, che Isabel trovava noiosi. Non riusciva a pensare a una tortura peggiore che stare seduti per ore sotto l'ombrellone, a fare da banchetto alle mosche, con lo sguardo perso nel mare. Perché mai le persone in spiaggia non parlavano? Leggevano, sedute oppure sdraiate.

Ma le aveva mai viste conversare? Le sembrava proprio di no.

Le tornò in mente un viaggio di molti anni prima, alla fine del periodo passato a Georgetown, quando era andata alle Bahamas con una zia materna, che viveva a Palm Beach. La zia si era comprata, d'impulso, un appartamento a Nassau, dove andava un paio di volte l'anno. Si era creata un giro di amici con cui giocava a bridge, annoiati e infelici esuli volontari per bieche ragioni fiscali. Isabel li aveva conosciuti in occasione di qualche party. Non avevano grandi argomenti di conversazione, e del resto su di loro c'era ben poco da dire. Una volta, ospite di una delle coppie del bridge, era stata assalita da un improvviso attacco di *horror vacui*. I pavimenti erano coperti di moquette bianca, e bianchi erano anche i mobili; ma soprattutto, non c'era neppure un libro. Erano rimasti sul terrazzo, sopra la spiaggetta privata, a guardare l'oceano senza dire nulla, perché a nessuno veniva in mente qualcosa di cui parlare.

«Spiagge» disse a Cat.

«Come?»

«Pensavo all'Italia e al suo clima, e mi sono venute in mente le spiagge.» Guardò la nipote. «E poi tutt'a un tratto mi sono ricordata della volta che sono stata alle Bahamas e ho conosciuto gente che abitava proprio in riva al mare.»

«Saccopelisti?»

Isabel si mise a ridere. «Non in quel senso. Tutt'altro che campeggiatori amanti della salsedine. Avevano una villa sulla spiaggia, potevano starsene seduti a guardare il mare su una terrazza di marmo d'importazione costata un occhio della testa. Ma in casa non avevano un libro, nemmeno uno. Davvero.

«Il marito aveva vissuto in Inghilterra, ma se n'era andato perché non sopportava l'idea di pagare le tasse a un governo socialista... anzi, a un governo *tout court*, mi sa. E così se ne stavano sulla loro isoletta dei Caraibi, seduti in terrazza, con la testa sotto vuoto spinto.

«Avevano una figlia, appena adolescente quando l'ho conosciuta io. Era svampita quanto i genitori, e anche se cercavano di preoccuparsi della sua istruzione, non le entrava quasi niente nella zucca. Perciò l'avevano levata dalla carissima scuola privata che frequentava in Inghilterra, per riportarla sull'isola. Lì si era messa con un ragazzo del posto che i genitori non facevano nemmeno entrare in casa loro, piena di moquette bianca e cose del genere. Avevano cercato di impedire la relazione, ma senza successo. Era rimasta incinta, ma anche suo figlio si era rivelato uno zuccone. I suoi genitori non lo volevano, il nipotino, e in seguito sono venuta a sapere che avevano semplicemente deciso di far finta che non esistesse. Il piccolo gattonava sulla moquette bianca, ma loro non lo vedevano neanche.»

Cat fissò Isabel. Era abituata agli sfoghi della zia, ma questo l'aveva sorpresa. Di solito, nei racconti di Isabel, la morale era evidente, ma in questo caso non sapeva bene quale fosse l'argomento. Il vuoto, forse. Oppure il bisogno di trovare uno scopo nella vita. L'immoralità dei paradisi fiscali. O forse l'idea di un bambino abbandonato a se stesso su una moquette bianca.

«Salvatore era proprio un tipo affascinante» riprese Cat. «Ci ha portato tutti a mangiare in un ristorante in collina, uno di quei posti in cui non ti chiedono cosa vuoi, ma cominciano a portarti un piatto dopo l'altro.»

«Gli italiani sono molto generosi.»

«E anche suo padre è stato molto gentile» proseguì la

ragazza. «Siamo stati a casa loro a conoscere tutti i parenti: zie, zii, tutti quanti. Erano tantissimi.»

«Ho capito» rispose Isabel. Rimaneva in sospeso la questione dell'attività del padre dello sposo. «Hai scoperto di cosa si occupa la sua famiglia?»

«Mi sono informata. L'ho chiesto a uno degli zii. Eravamo seduti a mangiare sotto la pergola del giardino, una tavolata di una ventina di persone, e gliel'ho domandato.»

«E allora?» Isabel pensava che lo zio avesse risposto di non saperlo di preciso, oppure di esserselo dimenticato. Ma quelle sono cose che non si dimenticano, proprio come l'indirizzo di casa. All'epoca della cortina di ferro, Isabel aveva chiesto a un russo dove abitava, sentendosi dire che se l'era scordato. Poveretto, aveva paura: in quel periodo non era salutare per i russi avere il proprio indirizzo nella rubrica di uno straniero, ma avrebbe fatto meglio a dirglielo chiaramente, invece di addurre una scusa campata per aria.

«Ha detto che si occupano di scarpe.»

Isabel rimase in silenzio. Le eleganti scarpe italiane. Belle linee, ma sempre troppo strette per i suoi piedi. Piedoni scoto-americani i miei, si disse. Molto più lunghi di quelli italiani.

Cat le sorrise: aveva dissipato i sospetti che la zia nutriva sugli affari della famiglia di Salvatore. Forse il ragazzo si era vergognato di parlare di scarpe, che in fondo erano un argomento abbastanza prosaico.

«Cos'altro avete fatto?» le chiese Isabel. «Oltre ai pranzi con Salvatore e la sua famiglia. Avete fatto i turisti?»

«Siamo stati sull'Etna.»

«*Era un giorno siculo di luglio, con l'Etna che fumava*» citò Isabel. «L'ha scritto Lawrence in quella strana poesia che parla del suo incontro con un serpente. Sai, quella in cui un serpente va ad abbeverarsi alla fontana del suo giardino e lui indossa solo i pantaloni del pigiama per il gran caldo. E alla fine gli tira un legnetto. Auden non ha mai tirato un legnetto a un serpente. È tutta lì la differenza, no? Gli scrittori che tirano i pezzi di legno e quelli che non lo fanno. Hemingway gliel'avrebbe tirato, non credi?» Sorrise a Cat, che la guardava con quella che Isabel amava definire «un'aria paziente», riparandosi gli occhi con la mano dal sole del pomeriggio.

«Sto divagando, lo so» ammise Isabel. «Ma mi viene sempre in mente il fumo dell'Etna. E Lawrence in pigiama.»

Cat cercò di tornare al punto, ben sapendo che Isabel poteva andare avanti per ore su qualsiasi argomento, se nessuno la fermava. «Ci siamo andati con un cugino di Salvatore, Tommaso. È di Palermo. Abitano in un grande palazzo barocco. Ci siamo divertiti: e mi ha portata in tantissimi posti che altrimenti non avrei mai visto.»

Isabel rimase immobile. Quando Cat diceva che si era divertita, voleva dire che l'uomo in questione le interessava, proprio come era successo nel caso di Toby, che amava i pantaloni color fragola e parlava di sci, anche quando non c'entrava niente. O con Geoff, ufficiale dell'esercito che alle feste beveva troppo e si abbandonava a scherzi infantili. Una volta aveva incollato all'attaccapanni il cappello degli altri invitati. Ed era andata così anche con Henry, con David e forse con altri ancora.

«Tommaso è un pilota di rally» aggiunse Cat. «Ha una vecchia Bugatti, bellissima. Rossa e argento.»

Isabel si tenne sulle sue. Perlomeno Tommaso era a distanza di sicurezza...

«Tra poco viene in Scozia con la macchina» proseguì

Cat. «La fa portare in treno e poi in traghetto. Vuole fare il giro delle Highlands e visitare Edimburgo. Pensava di fermarsi qui qualche settimana.»

«Quando?» chiese Isabel, rassegnata.

«La settimana prossima, mi pare» rispose Cat. «O quella dopo. Mi chiamerà per dirmelo.»

Non c'era molto da aggiungere. Mentre parlavano del negozio e dei fatti della settimana, Isabel ricominciò a riflettere su una questione di etica. Una questione fondamentale. Da tempo aveva deciso di non intromettersi più nelle relazioni sentimentali di Cat, per quanto fosse tentata. Era facile indicare ai propri familiari le scelte migliori, soprattutto se di parenti se ne avevano pochi, ma lo capiva da sola che questo andava contro il principio di autonomia. Dobbiamo essere liberi di vivere la nostra vita come ci pare. Non vuol dire che possiamo fare tutto ciò che vogliamo, anzi; ma dobbiamo decidere da soli cosa fare. E quando si fa una scelta sbagliata, se ne affrontano le conseguenze. Cat si sentiva destinata a uomini che l'avrebbero resa infelice, incostanti, egoisti e narcisi. Era una sua scelta, bisognava lasciarla fare.

«Ti piace?» le chiese a bassa voce. Cat, ben sapendo cosa voleva dire quella domanda, rispose guardinga. Forse sì. Si vedrà.

Isabel non ribatté. Si chiese per un attimo come poteva essere quel Tommaso. Certo, bastava pensare alla Bugatti d'epoca e al palazzo barocco, e la risposta veniva da sé. Doveva essere un tipo elegante, un po' sbruffone, che di sicuro avrebbe reso infelice Cat, come già era successo con gli altri prima di lui. E anche Jamie ci avrebbe sofferto, arrovellandosi ore e ore pensando a Cat e Tommaso insieme sulla Bugatti rossa e argento, in giro per le stradine romantiche del Fife e del Pertshire.

9

Isabel aveva proposto a Ian di andare a casa sua, ma l'uomo le telefonò rilanciando l'invito. Se le andava, l'avrebbe portata a pranzo allo Scottish Arts Club di Rutland Square.

«A me toccheranno i filetti di sgombro» le disse. «E l'insalata. Ma lei può farsi portare qualcosa di più sostanzioso.»

Isabel conosceva l'Arts Club. Alcuni suoi amici erano soci del circolo, e ne conosceva anche il presidente, un azzimato antiquario dai baffetti appuntiti, regolati con gran cura. Aveva pensato di iscriversi anche lei, senza mettere mai in pratica l'idea. Si limitava ad andarci in occasione dell'annuale Burns Supper. La qualità dell'evento, che ogni anno commemorava la nascita di Robert Burns, non era costante. Con un buon oratore, il discorso alla memoria dell'immortale letterato poteva rivelarsi commovente, ma in anni meno fortunati si era costretti a sorbirsi stucchevoli panegirici sul «poeta contadino», con dovizia di particolari sulle sue epiche bevute nell'Ayrshire. La Scozia non aveva motivo di andarne fiera. Nel consumo smodato di whisky non c'era niente di edificante, secondo Isabel. Eppure pareva che tutti i poeti scozzesi fossero stati dei beoni, che componevano poesie sull'alcol oppure scrivevano solenni sciocchezze quando avevano bevuto troppo. Che spreco. Libri interi di poesie mai scritte, decenni di letteratura; vite rimaste sconosciute, speranze vane. Lo stesso valeva per alcuni compositori scozzesi. Thomas Erskine, il sesto conte di Kellie, aveva scritto splendidi pezzi per violino. Quand'era ubriaco, cioè quasi sempre, rideva delle sue battute fino a diventare paonazzo. Era un particolare buffissimo. Si potevano perdonare tante cose a un uomo capace di un'impresa del genere. Gli si poteva persino voler bene.

Di tutto ciò non aveva nessuna colpa l'Arts Club, al cui ingresso si trovava in quel momento, in attesa che uno degli inservienti la facesse entrare. Gli iscritti avevano la chiave, mentre gli ospiti dovevano sperare nell'arrivo di uno dei soci o augurarsi che il segretario sentisse il campanello. Isabel suonò di nuovo e poi guardò dietro di sé, verso i giardini di Rutland Square. Era una delle piazze più belle del quartiere georgiano di Edimburgo, all'estremità occidentale di Princess Street, nascosta dietro la grande costruzione d'arenaria rossa del Caledonian Hotel. I giardini al centro della piazza non erano molto estesi, ma conservavano un certo numero di grandi alberi solidi che facevano ombra alla pietra dei palazzi circostanti. In primavera l'erba era coperta da un'esplosione di crochi viola e gialli, dalle tonalità incredibili. D'estate, all'ora di pranzo, vi si venivano a sdraiare pallide segretarie e impiegati usciti in maniche di camicia dagli uffici vicini, per godersi i rari momenti di sole, proprio come avevano fatto a loro tempo Isabel e le sue amiche del Ladies' College di George Square. Amavano stendersi sull'erba a guardare chi andava all'università, i ragazzi in particolare, aspettando che la vita cominciasse per davvero.

Ogni angolo di Edimburgo le rievocava qualcosa.

Non era forse così per gli abitanti di tutte le città? Si ricordava dove erano accaduti certi episodi, gli angoli in cui un tempo c'era una caffetteria o un bar, oppure il palazzo in cui era stata assunta per il suo primo impiego; posti in cui aveva ricevuto un incarico, subìto una delusione, collezionato un successo. Mentre aspettava che la porta si aprisse, guardò la piazza: al capo opposto aveva abitato il suo amico Duncan, prima di sposarsi. Dietro una modesta porta nera, una normale scala a chiocciola con i gradini di pietra consumati dal tempo dava accesso a quattro appartamenti. Uno era quello di Duncan. Che feste avevano fatto sotto quel tetto: cominciavano solo quando era finito tutto il resto. Di quelle serate di lunghe conversazioni glien'era rimasta impressa una, in cui avevano dovuto chiamare i pompieri perché una scintilla schizzata inavvertitamente fuori dal caminetto aveva dato fuoco alle tavole del pavimento. Non era stata colpa di nessuno, li avevano rassicurati alla fine i vigili del fuoco, che in cucina avevano accettato un bicchiere di whisky, un altro, e un altro ancora, finendo per mettersi a cantare insieme al padrone di casa e agli ospiti le canzoncine dell'asilo: «I fuochi li spegne mio fratello Bill / fa il pompiere». Alla fine, mentre si incamminavano di nuovo giù per le scale, uno dei pompieri aveva detto che in Rutland Square avevano trovato proprio il fuoco giusto, e non si poteva dargli torto. Un altro, che in cucina aveva chiesto a Isabel di sposarlo, ritirando l'offerta dieci minuti dopo perché gli era venuto in mente che forse era già sposato, mentre scendeva le scale l'aveva salutata togliendosi l'elmetto.

La porta si aprì. Entrata nel circolo, Isabel salì di sopra nella *smoking room*, il grande salotto a L dove si riunivano i soci del circolo. Era una sala piena di luce, con due finestroni a tutta parete sul davanti, che dominavano la piazza e gli alberi. Sul retro, un'altra grande vetrata guardava i prati dietro Shandwick Place. C'erano due caminetti, un pianoforte a coda e comode panche imbottite di pelle rossa disposte lungo una parete, simili agli scranni di un antico parlamento di chissà quale paese sperduto negli angoli più remoti del Commonwealth.

Nella *smoking room* venivano spesso ospitate mostre di pittura. Talvolta erano opere dei soci, molti dei quali, com'era prevedibile, dipingevano. Al momento erano esposte le tele di una pittrice iscritta al circolo, e Isabel iniziò a esaminarle, consultando il dépliant illustrativo. Erano ritratti di piccolo formato, uniti a scene domestiche ad acquarello. Isabel riconobbe i soggetti di parecchi ritratti, somigliantissimi: quel brav'uomo di Lord Prosser, con il suo sguardo intelligente, sullo sfondo delle Pentland Hills. Richard Demarco, colto all'interno di un teatro vuoto, con un sorriso carico d'ottimismo. Un terzo dipinto, così grande da dominare la parete dietro il pianoforte, era un inno alla superbia. Il soggetto, un attore di grande fama che Isabel aveva a malapena sentito nominare, era ritratto in piedi con il ghigno autocompiaciuto e le labbra arricciate dell'arrogante. Ci si era riconosciuto, si chiedeva lei, oppure non si vedeva come lo vedevano gli altri? Era una frase di Burns, ovviamente. L'aveva sentita citare al piano di sotto in occasione della penultima Burns Supper, durante una conferenza bucolica tenuta da un ex presidente dell'assemblea della Chiesa scozzese: «Il dono che può darci / che come ci vedono gli altri riusciamo a vederci».

«È proprio lui, vero?» disse una voce alle sue spalle. «La pittrice l'ha centrato in pieno. Guardi le sopracciglia.»

Isabel si girò e si trovò davanti Ian.

«Bisognerebbe parlare a bassa voce» gli disse. «Potrebbe essere socio del circolo.»

«Il nostro, per lui, non è abbastanza sfarzoso. È più un tipo da New Club.»

Isabel sorrise. «Guardi questo ritratto.» Gli indicò uno dei quadri. Era un uomo seduto nel suo studio, con una mano su una pila di libri e un'altra poggiata su un tampone di carta assorbente. Dietro la sua figura, da una finestra, si scorgeva una ripida collina coperta di rododendri.

«Questo lo conosco. È un tipo del tutto diverso» commentò Ian.

«Che coincidenza, lo conosco anch'io.»

Guardarono il quadro insieme. Isabel si chinò per esaminarlo più da vicino. «Non è straordinario il modo in cui le esperienze ti s'incidono sul viso?» osservò. «Le esperienze e il carattere. Si svela tutto dall'aspetto fisico. Si capisce com'è possibile che a certa gente venga la faccia come il cuoio, come capita a volte agli australiani, oppure che dai piaceri della tavola derivino le guance pienotte. Ma cos'è che distingue con tanta nettezza un viso nobile da uno volgare? Pensi agli occhi: non è incredibile che siano così diversi?»

«È il modo in cui noi leggiamo un volto» rispose Ian. «Si ricordi che sta parlando con uno psicologo: è il nostro pane. Tanti piccoli segnali creano l'impressione complessiva.»

«Ma come fanno gli stati d'animo a mostrarsi fisicamente?»

«È facile» spiegò Ian. «Pensi alla rabbia: il sopracciglio aggrottato. Alla determinazione, che fa stringere i denti.»

«E l'intelligenza? Come si distingue un viso intelligente da uno poco perspicace? E non mi dica che non c'è differenza, perché ce n'è eccome.»

«La vivacità, la curiosità per il mondo» rispose lo psicologo. «Un viso vacuo queste qualità non le dimostra di certo.»

Isabel tornò a fissare il ritratto del brav'uomo, e poi quello dell'arrogante. In altri tempi si sarebbe potuto essere certi che la bontà avrebbe prevalso sulla boria. Adesso no. L'arrogante poteva mostrare impunemente la sua spocchia. Nessuno l'avrebbe contraddetto, visto che il narcisismo non era più considerato un vizio. Il culto dei personaggi famosi si basava su quel presupposto. Incensandoli in continuazione, non si faceva che solleticarne la vanità.

Scesero di sotto per pranzare, scegliendo uno dei pochi tavolini privati in fondo alla sala. I due tavoli principali, rotondi, si stavano riempiendo. In uno teneva banco un giornalista dello «Scotsman», che frequentava il circolo tre volte alla settimana. All'altro aveva preso posto un branco di avvocati, che ridacchiavano di qualche disgrazia.

«È stata gentile ad accettare il mio invito» attaccò Ian, versando un bicchiere d'acqua a Isabel. «In fondo, quando ci siamo incontrati l'altro giorno, non ero che un completo sconosciuto.»

«Lo dice lei» rispose Isabel. «Ma io la conosco meglio di quanto non creda.»

Ian inarcò un sopracciglio. «E come?»

«Mi ha detto che era psicologo. Allora ho telefonato a un amico che lavora nel ramo e mi sono fatta dire tutto quel che c'era da sapere.»

«Ovvero?»

«Carriera brillante. Stavano per creare una cattedra

apposta per lei all'università di Edimburgo. Ha numerose pubblicazioni. Più o meno è tutto.»

Ian si mise a ridere. «Anch'io so qualcosa su di lei.»

«La Scozia è proprio un paesino» sospirò Isabel.

«Già. Ma è così dovunque. Lo dicono anche i newyorkesi quando parlano della Grande Mela. E poi adesso c'è il villaggio globale.»

Isabel ci rifletté per un momento. Se viviamo in un villaggio globale, allora i confini della nostra responsabilità sono molto più estesi. La gente che muore di povertà, di malattia, chi subisce ingiustizie: tutti nostri vicini, anche se stiamo all'altro capo del mondo. Era un cambiamento di prospettiva radicale.

«Ho chiesto informazioni al nostro comune amico Peter Stevenson» proseguì Ian. «Sa tutto di tutti. E ha detto che lei è... be', quella che è. Ha aggiunto che gode di una certa fama perché si occupa con discrezione di certe faccende.»

«È una definizione molto gentile» ribatté Isabel. «C'è chi la chiamerebbe curiosità impropria. Si potrebbe arrivare a darmi della ficcanaso.»

«Non c'è niente di male nell'interessarsi al mondo» disse Ian. «Incuriosisce anche me. Mi piace chiedermi cosa c'è sotto la superficie.»

«Sempre ammesso che ci sia qualcosa» lo interruppe Isabel. «A volte la superficie è tutto.»

«Vero, ma non sempre. Quei quadri che abbiamo appena visto, per esempio, nascondono molto. Ma bisogna indagare. Bisogna essere un po' dei John Berger. Conosce il suo *Modi di vedere*? Ha rivoluzionato il modo in cui guardo le cose.»

«L'ho letto molto tempo fa» confessò Isabel. «Sì, ti leva i paraocchi.»

Arrivò la cameriera, che posò loro davanti un piattino con pane e burro. Ian allungò la mano per spingerlo verso Isabel.

«L'altro giorno abbiamo conversato. O meglio, abbiamo iniziato a parlare. Le ho raccontato come ci si sente dopo un'operazione al cuore. Ma non sono andato molto a fondo.»

Isabel l'osservava. Aveva deciso che le era simpatico, le piaceva la sua apertura mentale e la sua voglia di approfondire le questioni, ma si ritrovò a chiedersi se avrebbero parlato tutto il tempo di problemi medici. A tutti piaceva parlare dei propri malanni – per molti era l'argomento più interessante del mondo – ma era certa che Ian non l'avesse cercata solo per avere un orecchio pietoso disposto a sorbirsi la sua saga ospedaliera.

Quasi l'avesse detto ad alta voce, Ian si affrettò a rassicurarla: «Non tema, non intendo tediarla con i particolari dell'operazione. Non c'è niente di peggio che sentirsi raccontare i problemi di salute altrui. No, non è questo il punto».

Isabel lo guardò educatamente. «Non c'è problema. Un'amica qualche giorno fa mi ha raccontato per filo e per segno la sua lotta con un'unghia incarnita. Ci ha messo quasi mezz'ora. Lo sapeva che se l'unghia si rigira...» S'interruppe, sorridendo.

Ian proseguì. «Volevo parlarle di una cosa... che mi ha turbato. Sì, direi che è il termine giusto. Le va?»

Isabel annuì. La cameriera era tornata con i piatti, posando la porzione di filetti di sgombro in insalata davanti a Ian. Lui la ringraziò e guardò il cibo con un'espressione che Isabel non poté che definire «rassegnata». Si mise in ascolto. Ian iniziò il suo racconto: si era ammalato all'improvviso, dopo una violenta infezione virale. Gli si era spento il cuore, né più né meno. Le raccontò della sensazione di calma, che aveva sorpreso lui per primo, alla notizia che gli era indispensabile un trapianto cardiaco.

«Ho capito che non mi preoccupava l'idea di morire» aggiunse. «Mi sembrava praticamente impossibile che si riuscisse a trovare in tempo un donatore. Ma non provavo grossi rimpianti. Solo uno straordinario senso di calma. Ero stupefatto.»

La chiamata per il trapianto era giunta all'improvviso. Stava facendo una passeggiata alla Canongate Kirk, quando l'erano venuti a prendere. In seguito gli dissero che aveva fatto il viaggio fino a Glasgow insieme al cuore del donatore, trasportato in un contenitore accanto a lui, perché anche quell'uomo era di Edimburgo. Non gli avevano detto altro. La famiglia del donatore aveva preferito mantenere l'anonimato. Sapeva solo che si trattava di un ragazzo: avevano parlato di un «lui», aggiungendo che era un cuore giovane.

«Delle settimane successive non ricordo granché» proseguì. «Ero a Glasgow, sdraiato a letto, senza sapere che giorno fosse. In stato di costante dormiveglia. Poi ho ricominciato piano piano a tornare alla vita, almeno così mi è parso. Mi sembrava di sentirlo dentro di me, il battito del mio cuore nuovo. Stavo sdraiato ad ascoltarne il ritmo, amplificato dalla macchina a cui mi avevano attaccato. E provavo una strana tristezza, la sensazione di essere smembrato. Come se mi avessero portato via il passato e stessi andando alla deriva. Mi sono accorto di non aver niente da dire a nessuno. Gli altri cercavano di costringermi a far conversazione, ma io sentivo solo un vuoto enorme. Non trovavo niente da dire.

«Pare che sia una reazione del tutto normale. Ci si

sente così dopo un trapianto cardiaco complicato. E le cose sono migliorate, una volta a casa: ho ritrovato in parte la mia identità. Mi sono tirato un po' su. Quel senso di vuoto, una forma di depressione probabilmente, non c'era più. Ho ricominciato a leggere libri e a vedere gli amici. E ho iniziato a provare gratitudine – una gratitudine immensa – verso i dottori e verso la persona da cui avevo ricevuto il cuore. Volevo ringraziare la famiglia, ma i medici hanno detto che dovevo rispettare la loro volontà di mantenere l'anonimato. Ogni tanto pensavo al donatore, chiunque fosse, e piangevo. Immagino si possa dire che vivevo un lutto: piangevo la morte di una persona che non conoscevo. Di cui non sapevo neppure il nome.

«Avrei voluto davvero riuscire a parlare con la famiglia. Ho scritto loro una lettera per ringraziarli. Può immaginare quant'è stato difficile, anche solo trovare le parole che rendessero giustizia a quel che provavo. Rileggendola, mi è parsa troppo ampollosa, ma non potevo farci niente. Per recapitarla mi sono dovuto affidare ai medici e mi chiedo se la famiglia l'abbia mai letta. Avranno pensato che era formale e che suonava forzata. Non oso pensarci. Avranno creduto che gli avessi scritto per dovere, una lettera di ringraziamento pro forma. Ma che altro potevo fare?»

Si fermò, quasi in attesa di una risposta. Isabel l'aveva ascoltato attentamente. L'affascinava, l'idea della gratitudine frustrata. Bisognerebbe lasciare che gli altri ci esprimessero appieno la propria gratitudine, anche quando ci imbarazza e siamo riluttanti ad accettarla? C'è un'arte nel ricevere i regali, e senza dubbio abbiamo il dovere di lasciare che gli altri ci facciano dei doni. Forse i familiari del donatore avrebbero dovuto permettere a Ian di incontrarli per ringraziarli compiutamente. Quando si dona qualcosa si possono imporre solo condizioni ragionevoli, e non clausole umilianti. Isabel l'aveva sempre pensata così a proposito di certi testamenti, per usufruire dei quali i beneficiari erano costretti a cambiare nome.

«Non aveva scelta. Non poteva fare altro» gli disse lei. «Però credo che avrebbero dovuto permetterle di parlare con loro. Direi quasi che non avevano il diritto di pretendere l'anonimato, visto che era ovvio che lei avrebbe desiderato ringraziarli.»

Ian sgranò gli occhi. «Crede che io abbia il diritto di saperlo? Di sapere chi era?»

Isabel non era disposta a spingersi tanto in là. «Non ho detto questo. E parlando con i familiari, certo avrebbe saputo chi era il donatore. Lei ha il diritto – se lo si può chiamare così – di esprimere la gratitudine che prova, naturale, assolutamente comprensibile. Al momento non può esprimerla, almeno non appieno.»

Ian rimase in silenzio per qualche istante. «Capisco.»

Isabel si preoccupò. «Non intendo dire che debba per forza cercare di conoscerli. Non ho un'opinione precisa in merito. È un'idea, tutto qui.» Si interruppe. Era di questo che le voleva parlare? Voleva che rintracciasse la famiglia del donatore per conto suo? Avrebbe dovuto spiegargli che non era il suo mestiere.

«Deve sapere una cosa» proseguì. «Qualsiasi cosa le abbiano detto di me, non mi occupo di indagini del genere. Se vuole che...»

Ian sollevò una mano. «No, no. Non è questo. La prego, non pensi...»

Isabel lo interruppe. «In passato suppongo di essermi immischiata... nei problemi altrui, diciamo così. In realtà, però, sono solo la direttrice della 'Rivista di etica applicata'. Tutto qui.»

L'uomo scosse il capo. «Non pensavo a nulla del genere. Solo che... uno dei problemi che ho dovuto affrontare è che non so con chi parlarne. Mia moglie è preoccupata da morire per me e non voglio gravarla ulteriormente. E i dottori sono presi dalle loro questioni tecniche, il dosaggio dei medicinali e via dicendo.»

Isabel si sentì subito in colpa. Non intendeva tarpargli le ali. «Ovviamente sono contenta di ascoltarla» si affrettò a dire. «Non volevo essere brusca.»

Ian rimase in silenzio per qualche istante. Non aveva ancora toccato i filetti di sgombro, e ne tagliò una fettina con titubanza. «Vede, mi è successa una cosa davvero straordinaria, e non sono riuscito a parlarne con nessuno. Ho bisogno di qualcuno che ne comprenda le implicazioni filosofiche. Per questo mi è venuto in mente di chiederlo a lei.»

«È raro che qualcuno chieda consiglio a un filosofo» rispose Isabel con un sorriso. «Lei mi lusinga.»

Quando riprese, Ian aveva meno tensione nella voce. «Per tutta la vita ho seguito principi razionali. Credo nelle prove empiriche e nel metodo scientifico.»

«Lo stesso vale per me» convenne Isabel.

Ian annuì. «Psicologia e filosofia vedono il mondo allo stesso modo, non trova? Perciò, sia io sia lei affrontiamo i fenomeni inesplicabili con il medesimo approccio: li consideriamo una situazione momentanea. Se non si possono giustificare alla luce della nostra attuale comprensione delle cose, una spiegazione potrebbe emergere in futuro.»

Isabel guardò fuori dalla finestra. Un po' semplicistico, ma in linea di massima era d'accordo. Era questa la conversazione che Ian aveva tanto faticato a tirar fuori? Una disquisizione sulla nostra visione del mondo?

«Prenda, per esempio, la memoria» proseguì lui. «Un'idea approssimativa sul suo funzionamento ce l'abbiamo. Lascia tracce fisiche riscontrabili nel cervello, e in parte sappiamo anche dove si raccolgono. Nell'ippocampo, soprattutto, ma alcune si manifestano anche nel cervelletto.»

«I tassisti di Londra» intervenne Isabel.

Ian si mise a ridere. «Proprio così. Hanno un ippocampo più sviluppato della media, si è scoperto, perché per ottenere la licenza devono memorizzare tutte le strade della metropoli.»

«Almeno sanno dove ti portano» aggiunse Isabel. «In certi posti no. Una volta a Dallas ho dovuto fare io da navigatrice al tassista, pur di arrivare a casa di mia cugina Mimi McKnight. Quando finalmente siamo arrivati a destinazione, Mimi ha commentato: 'Ogni società ha i tassisti che si merita'. Pensa sia vero, Ian?» Si rispose da sola: «No, gli Stati Uniti sono un bel paese. Si meritano tassisti migliori».

«E anche politici migliori?»

«Di sicuro.»

Ian assaggiò un altro pezzo di sgombro, mentre Isabel terminava l'insalata di patate.

«Ma la memoria potrebbe trovarsi altrove?» proseguì l'uomo. «Se ci sbagliassimo riguardo all'ubicazione fisica della memoria?»

«Intende dire che potrebbe non risiedere nel cervello?»

«Sì. In parte, almeno.»

«Improbabile.»

Ian si raddrizzò, appoggiandosi allo schienale. «Perché mai? Il sistema immunitario ha una memoria. Il mio ce l'ha. Quando in un esperimento ad alcuni vermi hanno dato da mangiare altri vermi, si è osservato che assorbivano le caratteristiche dei loro simili di cui si erano cibati. La chiamano 'memoria cellulare'.»

«Allora perché lei non mostra le caratteristiche di uno sgombro?» chiese Isabel. «Perché non comincia a ricordare come si comporta uno sgombro, qualunque cosa faccia?»

Ian si mise a ridere. Però avrebbe potuto offendersi, si disse Isabel. Dovrei stare più attenta alle cose che dico. Si è fidato di me, mi fa delle confidenze e non devo essere insolente.

«Mi dispiace» disse. «Era proprio una sciocchezza.»

«L'ho trovata divertentissima. Negli ultimi tempi mi sono trovato circondato di gente piuttosto pedante. È bello cambiare un po'.» S'interruppe, guardando dalla finestra gli alberi di Rutland Square. Isabel seguì il suo sguardo. Il venticello faceva ondeggiare i rami sullo sfondo del cielo.

«Arrivo al punto» proseguì Ian. «Seguendo la teoria della memoria cellulare – se di teoria si tratta – sarebbe possibilissimo che il cuore sia la sede della memoria. Ricevendo il cuore di un altro, potrei aver acquisito anche i ricordi di quella persona.»

Isabel rimase in silenzio. Poi disse: «Ed è successo davvero?»

Ian abbassò lo sguardo sul tavolo, giocherellando col bordo della tovaglia. «Non so cosa dire. Istintivamente, come scienziato razionalista, direi che è un'assurdità grande come una casa. Lo so, girano un mucchio di storie di persone che hanno acquisito le caratteristiche dei donatori dopo il trapianto. Ci hanno fatto anche dei film. Ma una volta le avrei considerate tutte fantasticherie.»

«E adesso, invece?»

Ian guardò lo sgombro, e lo accostò al bordo del piatto. «Già. Adesso non ne sono più tanto sicuro.» Fece una pausa, studiandola per capire se lo prendeva sul serio. Anche Isabel lo guardò. È in imbarazzo, si disse, come capiterebbe a qualsiasi persona razionale di fronte all'inspiegabile.

«Non riderò di lei» lo rassicurò a bassa voce.

L'uomo sorrise. «Grazie. Vede, mi si presenta un ricordo ricorrente, che prima non avevo. È vivissimo. Mi sembra di ricordarmelo, ma a quanto ne so non fa parte delle mie esperienze.»

«Me ne parli» lo incoraggiò Isabel. «Avanti, mi dica.»

«Grazie» ripeté lui. «Sarà un vero sollievo anche solo parlarne. Sono quasi alla disperazione, sa. Mi sta succedendo qualcosa di sconvolgente, e temo che metta a repentaglio la mia guarigione, se non riesco a risolverlo.» S'interruppe, fissando il piatto. «A dire la verità, ho paura che questa cosa mi farà morire.»

10

La mattina seguente Grace arrivò in anticipo. «Un miracolo» proclamò, entrando nella cucina di casa di Isabel. «Un autobus in anticipo. Anzi, due. Ho potuto scegliere.»

Isabel la salutò soprappensiero. Lo «Scotsman», aperto sul tavolo di fronte a lei, dava la notizia di una rapina in banca fallita perché i ladri si erano inavvertitamente chiusi dentro la cassaforte. Isabel finì di leggere l'articolo e lo raccontò a Grace.

«È la controprova, chiara e tonda» commentò la governante. «Di delinquenti intelligenti non ce n'è neanche uno.»

Isabel prese la tazza di caffè. «Be', dev'essercene qualcuno» disse con dolcezza. «I geni del crimine di cui si sente tanto parlare. Gli inafferrabili.»

Grace scosse il capo. «Alla fine arrestano anche quelli. Non la si fa franca per sempre.»

Isabel ci pensò su un momento. Era così? Ne dubitava. C'erano omicidi irrisolti, tanto per cominciare. Jack lo Squartatore probabilmente non era mai stato catturato, mentre Bible John, l'assassino che amava le citazioni religiose, il terrore di Glasgow, forse era ancora vivo in qualche angolo della Scozia dell'ovest. Un signore attempato, che conduceva una vita normalissima. Sembrava proprio che l'avesse fatta franca, e lo stesso valeva per alcuni criminali di guerra. Magari, più grosso era il delitto, maggiori erano le probabilità di restare impuniti. I dittatori, quanti si erano macchiati di genocidio o avevano sottratto tesori alle nazioni, la scampavano spesso. Erano i pesci piccoli, i sottufficiali e i faccendieri di bassa lega, quelli che venivano ricercati e catturati.

Stava per replicare in questo senso, ma si trattenne. Grace poteva trincerarsi sulle sue posizioni, rendendo ogni discussione infinita. Inoltre, aveva qualcos'altro da raccontarle. La conversazione che aveva intrattenuto a pranzo con Ian, il giorno prima, le ronzava ancora in testa. Anzi, si era svegliata alle prime luci dell'alba con in mente quel pensiero, mentre sdraiata a letto ascoltava il vento frusciare tra gli alberi.

«Ieri ho parlato di cose davvero straordinarie» le disse. «Con un uomo a cui hanno messo un cuore nuovo. Ha mai conosciuto qualcuno che ha subito un trapianto cardiaco?»

Grace scosse il capo. «A mia madre sarebbe servito. Ma all'epoca non li facevano, o forse non c'erano abbastanza cuori disponibili.»

«Mi dispiace» disse Isabel. Nella vita di Grace c'era un sottofondo fatto di lavoro sfiancante e sofferenza, che ogni tanto veniva a galla nelle sue parole.

«Dobbiamo andarcene tutti» rispose Grace. «È solo un passaggio. Non c'è niente da temere, nell'aldilà.»

Isabel non ribatté. Riguardo all'aldilà non aveva certezze, ma era di mentalità aperta. Abbastanza, almeno, da ammettere che non si poteva stabilire con sicurezza l'impossibilità di una qualche forma di sopravvivenza dello spirito. Dipendeva tutto, a suo parere, dall'esistenza o meno di un legame necessario tra coscienza e materia fisica. Visto che era impossibile identificare la sede della coscienza, non si poteva escludere che questa persistesse anche in assenza di attività cerebrale. C'erano filosofi che non si dedicavano ad altro che alla coscienza. «Il grande nodo irrisolto» lo chiamava il suo vecchio professore. Non era il suo campo, perciò si limitò a replicare: «Sì, l'aldilà... Ma quell'uomo non c'è mai arrivato. Il nuovo cuore l'ha salvato».

Grace la guardò, attendendo ansiosamente che proseguisse. «E poi?»

«Poi ha cominciato a fare esperienze assolutamente straordinarie.» Si interruppe, indicando a Grace di versarsi una tazza di caffè dal bricco. «Vede, è psicologo» proseguì. «Anzi, lo era. E ha letto diversi articoli riguardo ai problemi psicologici che si possono incontrare dopo un'operazione al cuore. Pare che possa essere un'esperienza sconvolgente.»

«M'immagino» rispose Grace. «Sentir battere dentro di sé un cuore nuovo. Io sarei sconvolta.» Fu attraversata da un brivido. «Non credo proprio che mi piacerebbe, sa. Il cuore di qualcun altro... ci si potrebbe ritrovare di colpo innamorate del fidanzato della donatrice, o chissà che altro. Se l'immagina?»

Isabel si sporse verso di lei. «Ma lui dice che è proprio questo a essergli successo. Non si è innamorato, no. Però ha provato cose che pare capitino nelle sue condizioni. Eventi straordinari.»

Grace si mise a sedere di fronte a Isabel. Erano entrate nel suo territorio: i fenomeni inspiegabili, un po' inquietanti. Eppure è un argomento che incuriosisce anche me, si disse Isabel. Chi non è un credulone, scagli la prima pietra.

«Mi ha raccontato che periodicamente lo coglie una fitta dolorosa, improvvisa» proseguì Isabel. «Non al cuore. Su tutta la parte anteriore del corpo e delle spalle.

Poi vede qualcosa. Sempre. Al dolore si accompagna una visione.»

Sul viso di Grace comparve l'accenno di un sorriso. «Ma non è lei quella che non crede alle apparizioni? Mi aveva detto così, si ricorda? Le avevo raccontato che a una delle nostre riunioni si era verificata un'apparizione, e lei mi ha detto...»

Ben mi sta, si disse Isabel. Grace poteva a buon diritto provare un certo senso di rivalsa. Però, lei non aveva parlato di apparizioni. Un minimo di razionalità si poteva ancora difendere. «Non ho detto 'apparizione'. Tra visioni e apparizioni c'è una certa differenza. Le seconde sono fenomeni esterni, le altre si verificano dentro di noi.»

Grace aveva l'aria dubbiosa. «Non sono certa che siano poi tanto diverse. Comunque, cos'ha visto?»

«Un volto.»

«Nient'altro?»

Isabel sorseggiò il caffè. «No. Non è davvero un granché come apparizione. Però è strano, no? Vede sempre lo stesso viso, proprio nel momento in cui l'assale quel dolore.»

Grace fissò la tovaglia, tracciando un disegno con l'indice. Isabel seguì il movimento incuriosita. Non era niente di speciale, soltanto un ghirigoro. Si chiese se Grace praticasse la scrittura automatica. Poteva aprire grandi possibilità... sempre che ci si credesse davvero. Non c'era stato il caso di un medium entrato in contatto con Schubert, che aveva trascritto una sinfonia sotto la dettatura del compositore? Isabel sorrise, pensando che forse Schubert aveva proposto anche il nome: *L'aldilà* poteva essere una scelta azzeccata. Diede un'occhiata a Grace che continuava a fissare incantata il tavolo, e trattenne un sorriso.

La governante alzò lo sguardo. «E chi crede che sia? Se lo ricorda?»

Non lo sapeva, le spiegò. Quel volto, a detta di Ian, non apparteneva a nessuno dei suoi conoscenti. Eppure non poteva passare inosservato: fronte alta, occhi infossati e una cicatrice proprio alla radice dei capelli.

«Ma ecco il particolare più interessante» proseguì Isabel. «Come le dicevo, il mio interlocutore era psicologo. Ha fatto una ricerca sulle esperienze dei trapiantati di cuore. E ha scoperto che è stato scritto molto, saggi, articoli.

«Qualche anno fa è uscito un libro sull'argomento. Raccontava di una donna che dopo aver ricevuto il cuore di un giovane aveva cominciato a comportarsi in modo strano. Era diventata molto più aggressiva, e immagino che questo succeda a tutti coloro a cui il cuore viene asportato e sostituito. Ma aveva cominciato anche a vestirsi in modo diverso, cambiando abitudini alimentari. Adesso le piacevano i *chicken nuggets*, che prima aveva sempre detestato. E ovviamente era saltato fuori che quello era il cibo preferito del ragazzo che le aveva donato il cuore.»

Grace scosse il capo. «Io non li sopporto. Non sanno di niente.»

Isabel era d'accordo. Ma il punto non era la bontà o meno dei *chicken nuggets*. «Ha consultato parecchi articoli, scoprendo cose molto interessanti. Gliene è capitato sotto mano uno di un gruppo di psicologi americani, che avevano seguito dieci casi di comportamento anomalo in seguito a un trapianto cardiaco. Uno in particolare l'ha colpito.»

Grace stava seduta con la schiena dritta come un fuso. Isabel prese il bricco del caffè e tornò a riempire la tazza della governante. «A forza di parlare di trapianti, non le sembra di sentire il cuore che le batte più forte nel petto? Sarà il caffè che accelera le pulsazioni?»

Grace ci rifletté un momento. «Preferisco non pensarci» rispose poi. «È meglio lasciare che il cuore faccia da sé la sua parte. È come respirare. Non è necessario che ci ricordiamo in continuazione di farlo.» Sorseggiò il caffè. «Ma torniamo a bomba. Ha detto che quell'articolo l'ha colpito. Perché?»

«Quei tali, cioè gli autori dell'articolo, erano andati a parlare con un paziente che sosteneva di aver cominciato a provare dolori improvvisi alla faccia dopo il trapianto, in seguito ai quali vedeva un lampo di luce e un volto. Era riuscito a farne una descrizione precisa, proprio come il mio amico. I ricercatori scoprirono che il donatore di cuore era un giovane che era stato ucciso. Gli avevano sparato in faccia. La polizia nutriva forti sospetti sull'identità dell'assassino, ma non aveva prove. Quando gli agenti mostrarono ai ricercatori una foto del sospetto, era identica alla descrizione del viso fatta dal trapiantato.»

Grace prese in mano la tazza di caffè. «Insomma, il cuore si ricordava quel che era successo.»

«Sì. O almeno così sembra. Gli autori dell'articolo erano doverosamente scettici. L'unica conclusione era che, in caso esista la cosiddetta 'memoria cellulare', questo poteva esserne un esempio. Oppure...»

«Cosa?»

Isabel fece un gesto vago. «Forse si può spiegare tutto supponendo che le medicine somministrate al paziente avessero effetti allucinogeni. Ci sono sostanze in grado di produrre lampi di luce e altri effetti collaterali.»

«E le somiglianze tra la fotografia e la descrizione?» chiese Grace.

«Semplici coincidenze» rispose Isabel, senza troppo entusiasmo. Grace se ne accorse.

«Non crede sia tutto un caso, vero?»

Isabel non sapeva cosa pensare. «Mah, forse è una di quelle circostanze in cui non resta che ammettere: non ne ho idea.»

Grace si alzò in piedi. Doveva mettersi al lavoro. Prima però sentiva l'esigenza di fare una considerazione. «Ricordo che un po' di tempo fa lei mi ha detto che i casi sono due: una cosa la sappiamo, oppure no. Ha detto che non ci sono vie di mezzo. Proprio così.»

«Ah, sì? Be', è possibile.»

«Ma forse voleva dire che ci sono alcune occasioni in cui bisogna ammettere di non avere certezze» proseguì Grace.

«Può darsi.»

Grace annuì. «Se venisse a una delle nostre riunioni, prima o poi, capirebbe cosa intendo.»

Isabel si preoccupò per un attimo. Non voleva certo ritrovarsi a partecipare a una seduta spiritica. Un rifiuto netto, però, sarebbe stato davvero scortese, oltre che un palese voltafaccia rispetto all'apertura di vedute che Grace l'aveva appena costretta a dimostrare. Ma sarebbe riuscita a rimanere seria di fronte a una medium che pretendeva di parlare con l'aldilà? Sentendo i colpi sul tavolo e i gemiti degli spiriti inquieti? Che una persona concreta e solida come Grace potesse nutrire un interesse tanto spiccato per lo spiritismo, era una cosa che non cessava di stupirla. Non aveva senso. Forse, come aveva letto da qualche parte, abbiamo tutti un punto debole, che ci rende vulnerabili sul piano intellettuale o emotivo, magari in completo contrasto con il resto del nostro carattere. C'era gente insospettabile che faceva le cose più strane. Si ricordò un verso di Auden, in cui parlava di un dentista in pensione che non dipingeva altro che catene montuose. Aveva trovato interessante il contrasto tra odontoiatria e amore per la montagna. Eppure, perché un'attività qualsiasi sembrava sempre peculiare, se era un dentista a compierla? Lei avrebbe potuto dire a buon diritto: «Il mio dentista fa collezione di trenini», perché era vero. Ma come mai era più buffo che dire lo stesso di un direttore di banca? Forse faceva ridere anche quello.

«Lo so che pensa sia una cosa ridicola» disse Grace, andando all'armadio dove teneva i ferri del mestiere. «Non è così, sa. È una cosa seria. Serissima. E potrebbe conoscere anche persone interessanti.» Continuò a parlare in piedi di fronte all'armadio, mentre tirava fuori una scopa. «Da poco, nel nostro gruppo, ho conosciuto un signore simpatico. Sua moglie se ne è andata tra gli spiriti un anno fa, o giù di lì. È una persona piacevolissima.»

Isabel sollevò lo sguardo di scatto, ma Grace stava già uscendo dalla stanza, rivolgendole un'occhiata di sbieco, brevissima ed enigmatica, però. Isabel rimase a fissare la porta aperta, nel punto dove prima si trovava la governante, rimuginando sulle sue parole. Poi tornò a pensare a Ian, e a quella curiosa conversazione all'Arts Club, che l'aveva lasciata tanto turbata. L'uomo aveva detto di essere preoccupato: l'immagine che vedeva lo avrebbe fatto morire. Strana affermazione, si era detta, e gli aveva chiesto di spiegarle il perché. Per la tristezza, aveva risposto Ian. «Quando mi capita, provo un'enorme tristezza. Non so spiegarglielo meglio di così: è la tristezza della morte. So che sembra una frase fatta, ma è così. Mi dispiace.»

11

A Isabel non piaceva lasciare che la sua scrivania fosse eccessivamente ingombra di carte, eppure il ripiano non si poteva certo definire ordinato. In effetti, c'era sopra quasi sempre troppa roba, perlopiù manoscritti che dovevano essere inviati agli esperti del comitato scientifico per essere valutati. Sebbene fosse la definizione corrente nell'editoria delle riviste accademiche, non era certa che il termine «scientifico» fosse del tutto esatto. A volte sì: i saggi proposti venivano esaminati in modo puntiglioso dai colleghi dell'autore, che ne davano una valutazione obiettiva. Isabel aveva scoperto suo malgrado, però, che non era sempre così. Alcuni articoli finivano nelle mani di amici o nemici dell'autore. Capitava per caso, visto che era impossibile per chiunque tenere il conto delle invidie e delle faide che infestavano il mondo accademico. Isabel poteva solo augurarsi di riuscire a identificare le posizioni nascoste dietro l'antagonismo più smaccato, o come capitava di frequente, dietro falsi complimenti: «Articolo curioso, potrebbe suscitare anche qualche interesse». I filosofi sapevano essere cattivi, considerò lei, e i filosofi morali erano i peggiori di tutti.

Seduta alla scrivania ingombra di carte, si accinse a sistemare almeno una parte di quella catasta di fogli. Si mise al lavoro di buona lena e tornò a guardare l'orologio che era quasi mezzogiorno. Per la mattina aveva lavorato abbastanza, si disse, e forse anche per il resto della giornata. Si alzò, si stiracchiò e andò alla finestra dello studio per guardare in giardino. La parata di rose nell'aiuola che correva lungo il muro più lontano mostrava colori più brillanti che mai, mentre la fila di cespugli di lavanda che aveva piantato qualche anno prima era completamente in fiore. Guardò sotto la sua finestra. Qualcuno aveva scavato fino a mettere a nudo le radici di un'azalea, gettando mucchietti di terra sui bordi del prato. Sorrise. Compare Volpone.

Lo vedeva raramente, Compare Volpone. Si muoveva furtivo, probabilmente si considerava in territorio nemico. Non che Isabel si dimostrasse ostile: era sua alleata, e forse anche la volpe lo intuiva quando trovava le carcasse di pollo che lei gli lasciava apposta. Una volta l'aveva visto da vicino, e l'animale aveva fatto dietrofront per scappare. Si era fermato dopo pochi passi, e si erano guardati. Avevano incrociato lo sguardo solo per qualche secondo, ma era bastato perché Compare Volpone capisse che le intenzioni di Isabel nei suoi confronti non erano ostili. Se n'era accorta dal modo in cui l'animale si era rilassato prima di voltarsi e trotterellare via.

Mentre guardava i segni degli scavi della volpe, suonò il telefono.

«Si lavora?» le chiese Cat, che cominciava sempre le conversazioni telefoniche senza troppi preamboli.

Isabel guardò la scrivania, ormai riordinata per metà. «Finora, sì. Hai un'idea migliore?»

«Ogni scusa è buona, eh?»

«È vero» ammise Isabel. «Avrei interrotto lo stesso, ma un pretesto mi farebbe comodo.»

«Be', è arrivato il mio amico Tommaso dall'Italia. Ti ricordi, te ne ho parlato.»

Isabel si tenne sulle sue. Cat era rimasta un po' scottata in precedenza dalle intromissioni di Isabel nei suoi affari di cuore, perciò la zia non voleva dire niente che potesse essere mal interpretato. Si limitò a un «Bene».

Silenzio. «Che bello» aggiunse.

«Pensavo che forse ti andava di venire a pranzo qui. Al negozio. Lui arriva subito dopo aver lasciato la macchina al sicuro in albergo. Sta al Prestonfield House.»

«Non credi che sarò... di troppo?» chiese Isabel. «Non preferireste... che so, pranzare da soli? Non so se c'entro qualcosa.»

Cat si mise a ridere. «Non preoccuparti. Tra di noi non c'è niente. E non sto pensando di farmi coinvolgere, se è questo che ti preoccupa. È simpatico, niente di più.»

Isabel voleva chiederle se Tommaso lo sapeva, ma non disse nulla. Stavolta faceva sul serio: non si sarebbe immischiata, e una battuta del genere poteva essere considerata decisamente un'intromissione. Comunque, si sentiva sollevata, sapendo che Tommaso non sarebbe diventato il nuovo ragazzo di Cat. Non era giusto giudicarlo sulla base di dati così scarsi, senza lo straccio di una prova, lo sapeva, ma aveva buone ragioni di preoccuparsi. Un bel ragazzo italiano – che fosse bello lo dava per scontato, visto che Cat se li sceglieva sempre così – appassionato di Bugatti d'epoca, difficilmente sarebbe stato un tipo affidabile, tutto casa e famiglia. Uno spericolato rubacuori, ecco cos'era, pensò Isabel e quasi lo mormorò ad alta voce. Riuscì a fermarsi in tempo.

«Vieni, allora?» chiese di nuovo Cat.

«Ma certo. Se lo desideri.»

«Sì» replicò la nipote. «Ho preparato un'insalata speciale, con tante olive. Quelle che piacciono a te. »

«Sarei venuta lo stesso» rispose Isabel. «Lo sai.»

Tornata di sopra, si guardò allo specchio. Portava la gonna color tortora che indossava spesso quando correggeva le bozze. Faceva *pendant*, se così si poteva dire, con un cardigan di lana color crema un po' sformato, sulla cui manica sinistra era comparso uno sbaffo d'inchiostro. Sorrise. Non andava bene. A un appassionato di Bugatti d'epoca non ci si poteva presentare vestite in quel modo. Anzi non si poteva conoscere nessun italiano, abbigliate così.

Aprì l'armadio. *Guilty by Design*, pensò guardando l'abito nero smanicato che aveva comprato nel negozio omonimo a Morningside. Era un nome azzeccato, perché l'acquisto di abiti costosi comportava una buona dose di sensi di colpa, per quanto piacevolissimi. Adorava quel vestito e l'aveva indossato troppe volte. Gli italiani si vestivano di nero, no? Perciò bisognava distinguersi: un golfino rosso di cashmere con lo scollo a V avrebbe ravvivato il tubino, mentre un paio di pendenti coperti di diamanti alle orecchie sarebbero stati un tocco in più. Ecco! Cat sarebbe stata fiera di lei. Le zie di Tommaso probabilmente andavano vestite di nero vedovile, con i baffetti e... Si fermò. Non solo erano conclusioni poco caritatevoli, ma probabilmente anche errate. Le zie italiane un tempo tendevano a essere grassocce e pettinate in modo improbabile, ma le cose erano cambiate, no? Adesso probabilmente erano slanciate, vestite alla moda, abbronzatissime.

Lanciò un saluto a Grace, che rispose da un punto imprecisato della casa, e uscì. Gli studenti della vicina Napier University avevano riempito la via di auto, cosa che infastidiva gli abitanti della zona. A Isabel non dava noia. Gli autoctoni non venivano mai considerati persone del tutto reali dagli studenti. Facevano semplicemente da sfondo alle vicende universitarie, fatte di feste, lunghe conversazioni davanti a un caffè e... Isabel s'interruppe. Cos'altro facevano gli studenti? Be', la risposta la conosceva. E perché non avrebbero dovuto, a patto di farlo in modo responsabile? Lei non apprezzava la promiscuità, che le sembrava uno schiaffo al dovere di amare e rispettare gli altri. Una specie di fast food delle emozioni, da non augurare a nessuno. Però non si poteva nemmeno morire di fame.

Imboccando Merchiston Crescent, che curvava verso Bruntsfield, dove c'era la gastronomia di Cat, Isabel si immaginò come ci si potesse sentire, essendo in grado di donare agli altri l'amore. Non il proprio – poteva non essere ricambiato – ma quello della persona che il destinatario amava a sua volta. Che potere. Ecco, carissimo, questa è la ragazza che da tanto tempo rimiri con occhi dolci. Sì, è tua. E per te, ecco qui quel bel ragazzo da cui cerchi di farti notare, senza successo. Be', provaci ora.

Ma se non ho nemmeno un uomo per me, si disse Isabel. Non sono nella posizione di concedere regalie. Non aveva mai fatto grandi sforzi per conquistare qualcuno, almeno non dopo John Liamor. Per alcuni anni a seguire – parecchi, anzi – non era stata neppure sicura di volerne un altro. Adesso però, le sembrava di essere pronta di nuovo ad accollarsi i rischi che gli uomini portavano con sé: abbandono, tradimento, infelicità. Se voleva, ne poteva trovare uno, ne era convinta. Era abbastanza giovane e piacente, poteva competere. Gli uomini la trovavano interessante, lo capiva dal modo in cui reagivano alla sua presenza. Sarebbe stato bello uscire a cena con l'uomo giusto. S'immaginava seduta a un tavolo con vista, da Oloroso, a guardare il panorama del Fife in lontananza, oltre i tetti di George Street, con un uomo di fronte; un piacevole conversatore, dotato di senso dello humour, che la sapesse far ridere ma anche piangere, quando parlava di cose importanti e commoventi. Un uomo come... Li passò in rassegna. Ce n'erano di uomini così, in giro? E soprattutto, dov'erano?

C'era Jamie, certo. Le venne in mente all'improvviso, se lo vide seduto a quel tavolo immaginario dell'Oloroso, che la guardava con i suoi occhi grigi e le parlava proprio delle cose di cui le piaceva sentir parlare. Chiuse gli occhi. Era troppo tardi. Le stelle che li avevano fatti incontrare avevano commesso un tremendo errore cronologico. Se lei fosse nata quindici anni prima, sarebbero stati una coppia perfetta. Avrebbe lottato con le unghie e coi denti per averlo. Non avrebbe desiderato altro. Ma adesso era una cosa inappropriata e impossibile, e aveva deciso di non pensarci nemmeno. Si era sbarazzata del pensiero di Jamie, proprio come chi soffre di dipendenza si libera del pensiero della bottiglia, della sala corse o della camera da letto.

Si stava avvicinando alla fine di Merchiston Crescent. Davanti a sé vedeva le macchine in fila che entravano in città da Morningside e dai quartieri più a sud. La gastronomia di Cat era al centro di un isolato, con un gioielliere da una parte e una bottega d'antiquario dall'altra. Pochi portoni più avanti, sul lato della gastronomia, c'era la pescheria dove per anni suo padre aveva comprato le aringhe del Loch Fyne. Le prendeva lì anche l'antiquario, che in quel momento si stava chinando a osservare il pesce affumicato sul bancone. Uno dei piaceri che dava vivere in una città a misura d'uomo, si disse lei, era che si sapevano tante cose degli altri abitanti. Era quello che rendeva così piacevoli le piccole città italiane: non si era anonimi. Le venne in mente la volta in cui era andata a trovare un'amica che abitava a Reggio Emilia, la stessa che l'aveva portata a visitare un caseificio di parmigiano. Avevano fatto un giro nella piazza della città. Praticamente si erano fermate ogni minuto per scambiare due parole con qualcuno. Quello era un cugino, quell'altro l'amico di una zia. Quel ragazzo laggiù aveva abitato sotto di loro per un anno o due e poi si era trasferito a Milano, ma doveva essere tornato. Quell'altro ai tempi della scuola aveva un soprannome bruttissimo. Sì, lo chiamavano così, davvero. A Edimburgo non era possibile passeggiare con lo stesso agio, il tempo non permetteva di mettersi in mostra più di tanto. Però si riusciva a vedere qualche conoscente che comprava le aringhe.

Quando arrivò, la gastronomia di Cat era piena. Oltre a Eddie, a tempo pieno, la nipote aveva assunto una ragazza part time, Shona, che era al banco ad affettare salame. Cat pesava del formaggio, mentre Eddie stava alla cassa. Isabel si chiese se doveva offrirsi di dare una mano, ma pensò che probabilmente sarebbe stata d'intralcio. Si sedette a un tavolino, raccogliendo una rivista abbandonata sul pavimento da qualche avventore negligente.

Quando Cat riuscì a raggiungerla, era immersa nella lettura di un articolo.

«Arriverà da un momento all'altro» mormorò Cat. «Sono sicura che ti piacerà.»

«Ma certo» disse Isabel senza troppo entusiasmo.

«No, davvero. Ne sono sicura» insistette Cat. «Aspetta e vedrai.»

Isabel era incuriosita. «Quando me ne hai parlato al telefono, mi sei parsa un po'... tiepidina, direi.»

«Ah» disse Cat allegramente. «Se vuoi dire che davo l'idea che non facesse per me, sì, hai ragione. Non è il mio tipo. Però... be', vedrai cosa intendo.»

«Dov'è il busillis?» chiese Isabel.

Cat fece un sospiro. «L'età.»

«Ah sì? E quanti anni ha? Settantacinque?»

«Non proprio. Ha circa la tua età, direi. Quaranta passati da poco.»

Isabel ci rimase male. «Ah, allora è decrepito, secondo te.»

«Non volevo essere scortese» rispose la nipote. «Quarant'anni non sono niente. Anzi, oggigiorno è come averne trenta. Lo so, lo so. Solo che dalla prospettiva dei miei neanche venticinque, la quarantina suonata è... Insomma, non mi ci vedo a innamorarmi di qualcuno che ha quasi vent'anni più di me. Tutto qui. È solo questo: preferisco i miei coetanei.»

Isabel le posò delicatamente una mano sul braccio per rassicurarla. «È del tutto comprensibile. Non devi scusarti.»

«Grazie.» Cat sollevò lo sguardo. Si era aperta la porta ed era entrato un uomo. Diede una rapida occhiata alla gastronomia e una volta individuata Cat la salutò con la mano. Era Tommaso.

Si avvicinò al tavolo. Cat si alzò in piedi e gli diede la mano, mentre Isabel restava a guardare. L'uomo poi si voltò verso di lei, allungandosi a stringerle la mano, sorridente. Isabel si accorse che la stava squadrando da capo a piedi, anche se non in modo sfacciato.

Si sedette insieme a loro e Cat andò a prendergli il bicchier d'acqua minerale che aveva chiesto. Era troppo tardi per un caffè, disse, ma non aveva fame. «L'acqua va benissimo.»

Si voltò verso Isabel e sorrise. «Avete una città bellissima. Noi italiani pensiamo alla Scozia come a un paese molto romantico ed eccola qui, è proprio come ce la immaginiamo!»

«Anche noi abbiamo le nostre idee sull'Italia» rispose Isabel.

Tommaso inclinò leggermente la testa. «E sarebbero?»
«Che è un paese tanto romantico.»

L'uomo spalancò gli occhi, divertito. «Be', bella serie di luoghi comuni, vero?»

Isabel annuì. I luoghi comuni, però, devono avere un'origine, e per quello tendono a contenere anche una parte di verità. Quale paese si poteva definire romantico, se non l'Italia? Guardò Tommaso, con quello che sperava fosse uno sguardo neutro, dietro cui si nascondeva un'analisi precisa. Alto e robusto, con lineamenti marcati che le parevano... familiari. Assomigliava a qualcuno di sua conoscenza, ma a chi? Poi, d'un tratto, capì. Era Jamie, con quindici anni di più.

La rivelazione la colse di sorpresa, e per qualche istante s'immerse nei suoi pensieri. Jamie somigliava un po' a un tipo mediterraneo, lei l'aveva notato spesso, perciò forse non c'era da stupirsi della somiglianza tra lui e Tommaso, che mediterraneo lo era davvero. Ma non era tutto lì: c'era qualcosa nell'espressione e nel modo di parlare che li rendeva simili. Se avesse chiuso gli occhi per un attimo, e lo fece proprio in quel momento, poteva pensare di essere al tavolo con Jamie, tralasciando l'accento italiano. Ma il ragazzo, nella gastronomia di Cat, non ci sarebbe mai entrato, non ancora.

Il paragone inatteso la lasciò spiazzata e per qualche istante non seppe che dire. Si rifugiò nelle banalità. «Parla un inglese perfetto» osservò.

Tommaso, che stava per dire qualcosa, inclinò il capo. «Sono lieto che riesca a capire quel che dico. Ho abitato a Londra, in effetti. Per quattro anni ho lavorato in una banca italiana. Non avrebbe potuto dire lo stesso quando sono arrivato in Inghilterra. La gente mi fissava e mi chiedeva sempre di ripetere.»

«Da che pulpito. Loro e il loro accento dell'Estuario, con le parolc tutte biascicate. La lingua inglese scompare un pezzetto alla volta.»

«La banca mi pagava le lezioni con un insegnante di dizione» proseguì Tommaso. «Mi faceva tenere uno specchio davanti alla bocca mentre ripetevo gli scioglilingua: 'La rana in Spagna...'»

«'...gracida in campagna'» concluse Isabel.

«Ma quale campagna, poi?»

«Quella di Spagna» rispose Isabel.

Si misero a ridere. Lei lo guardò, notando le piccole rughe intorno alla bocca, che rivelavano come fosse un uomo incline al riso.

«Mia nipote la porterà in giro per la Scozia?» domandò Isabel.

Tommaso fece spallucce. «Gliel'ho chiesto, ma purtroppo non può. È troppo impegnata con il negozio. Vedrò cosa riesco a fare, da solo.»

Isabel gli chiese se intendeva andare a Inverness. I turisti che venivano in Scozia commettevano un errore, secondo lei, ammassandosi tutti a Inverness, cittadina piacevole, ma niente di più. C'erano posti molto più interessanti.

«Sì» rispose Tommaso. «Mi dicono tutti che ci devo andare.»

«Perché?»

«Perché... » Si interruppe, e scoppiò a ridere. «Non ci andrò. No.»

«Bene» convenne lei.

Tornò Cat. Non sarebbe stata in grado di portare Tommaso in giro per la Scozia, ma poteva fare una pausa quel pomeriggio per fargli vedere Edimburgo. Le andava di accompagnarli?

Isabel esitò. Si era accorta dello sguardo che Tommaso aveva lanciato a Cat, quando lei aveva esteso l'invito. Rapido, ma sufficiente a farle capire che non gradiva la sua presenza.

«Mi dispiace, il dovere mi chiama. La mia scrivania è un disastro. Non si vede neanche il ripiano, da tante carte ci sono sopra.»

Cat la guardò. «Sei proprio sicura di non voler venire? Non puoi rimandare il lavoro?»

Ci fu un breve scambio di sguardi tra nipote e zia. Un dialogo muto e privato tra donne, proprio sotto il naso dell'uomo. Isabel la lesse come una preghiera, e capì che Cat desiderava che ci fosse anche lei. Doveva acconsentire, e così fece.

«Certo, il lavoro può attendere. Vengo volentieri.»

Tommaso si girò a guardarla. «Non posso darvi tanto incomodo. No, no. Vi prego. Facciamo un'altra volta, quando nessuno ha altri impegni.»

«Non è un problema» ribadì Isabel. «Ho tutto il tempo che voglio.»

Tommaso insistette. «Non posso permettere che si disturbi. Anch'io ho degli affari a Edimburgo. Devo vedere certe persone.»

Isabel guardò di sottecchi Cat. Provò un moto di delusione. L'uomo non desiderava la sua compagnia, era evidente. Cat, però, avrebbe avuto le sue belle difficoltà. Tommaso sembrava un tipo pervicace, che non si sarebbe fatto smontare tanto facilmente.

L'italiano si alzò. «Vi sto impedendo di lavorare, a tutte e due. È così facile, quando si è in vacanza, dimenticare che gli altri hanno da fare. Cat? Ti posso telefonare domani?»

«Ma certo» rispose la ragazza. «Sono qui. A lavorare, temo, ma sono qui.»

Tommaso si voltò verso Isabel. «E forse ci vediamo anche con lei?»

«Anch'io sono qui» rispose lei. «Sarò lieta di farle vedere la città. Molto volentieri.»

L'uomo le sorrise. «Gentilissima.»

Si chinò in avanti e prese la mano a Cat. Tenendola un po' troppo a lungo, pensò Isabel. La ragazza arrossì. Si prospettavano giorni complicati, disse Isabel, ma Cat doveva imparare a scoraggiare gli uomini. Il modo migliore, secondo lei, era mostrarsi troppo insistenti. Agli uomini non piaceva essere rincorsi, avrebbe dovuto spiegarlo a Cat. Con tatto, ovviamente, ma nel modo più esplicito possibile.

12

«Salve, signorina... Dalhousie. Giusto?»

Isabel annuì in direzione del giovane al banco consultazione della biblioteca. «Sì. Che memoria.»

Lo osservò, soffermandosi sulla camicia bianca pulita e la cravatta dal nodo accurato. Aveva un'aria fin troppo zelante e scrupolosa. «Come fa?» gli chiese. «Di qui passerà tantissima gente.»

Il ragazzo sembrò compiaciuto del complimento. Era fiero della sua memoria, professionalmente gli era utile, ma si ricordava di Isabel per un motivo preciso: in una sua visita precedente, gli aveva detto di essere la direttrice della «Rivista di etica applicata». Per un giovane bibliotecario, fresco di praticantato nella sezione periodici, quella era una posizione esotica e di grande prestigio.

Le sorrise. «Cosa posso fare per lei?»

«Vorrei consultare alcune copie di 'Evening News' dell'ottobre scorso» rispose Isabel. Gli disse le date precise. Era fortunata. Mentre le annate precedenti erano tutte su microfiche, le spiegò, degli ultimi mesi avevano ancora le copie rilegate in volume. Gliele avrebbe portate di persona. Isabel lo ringraziò e si andò a sedere vicino alla finestra. Nell'attesa poteva contemplare il panorama di Grassmarket, con i passanti che guardavano le vetrine. Era cambiata radicalmente, pensò. Quand'era giovane, Grassmarket era un posto poco salutare: ubriachi accasciati nei portoni, gruppetti di diseredati in fila davanti all'ingresso dei dormitori pubblici. Che ne era stato del Castle Trades Hotel, che accoglieva senzatetto e disperati, fornendo loro un piatto di minestra e un riparo per la notte? Ormai era un albergo di lusso per turisti, a pochi passi da una banca sfavillante e da un negozio che vendeva fossili. I clienti d'un tempo erano dispersi, spariti, defunti. Il denaro finiva sempre per estromettere la gente dalle città. Era sempre stato così. Eppure, per quanto l'aspetto esteriore di una città cambiasse, i tipi umani erano sempre gli stessi; vestiti in modo diverso, magari, più agiati, ma con le identiche facce ruvide che s'incontravano ancora per le vie di Edimburgo.

Il ragazzo tornò con la grossa cartella azzurra che conteneva i quotidiani rilegati. «Sono due mesi» disse. «Compreso ottobre.»

Isabel lo ringraziò e aprì l'involucro. Le diede il benvenuto la prima pagina dell'«Edinburgh Evening News» del primo ottobre. C'era stato un incendio in un locale, annunciava un grosso titolo a nove colonne, con una fotografia che mostrava i pompieri impegnati a dirigere un getto d'acqua su una sezione crollata del tetto. Non c'erano stati feriti, lesse, perché l'incendio si era sviluppato quando il locale era chiuso e vuoto. Isabel nutriva qualche sospetto. Dare fuoco al proprio bar o al proprio locale era una soluzione drastica, e assai diffusa, quando gli affari stentavano. Qualche volta c'erano degli arresti, ma di solito non si riusciva a provare il dolo, nonostante gli sforzi dei periti liquidatori. L'assicurazione pagava e al posto del locale distrutto ne spuntava uno completamente rinnovato.

Girò pagina e iniziò a leggere un altro articolo. Un insegnante era accusato di aver fatto proposte oscene a una sua alunna. Era stato sospeso, con la prospettiva di affrontare quella che veniva descritta come «un'accurata indagine» sulla vicenda. «Non possiamo permettere che accadano cose del genere» commentava un funzionario del ministero dell'Istruzione. Isabel s'interruppe. Chi era in grado di dire se era successo per davvero? Lo scopo di un'inchiesta doveva essere quello di scoprire se una cosa era accaduta veramente. Eppure quel funzionario dava già tutto per scontato, prima ancora di avere uno straccio di prova in mano. Non era forse molto facile, per una studentessa appena un po' scafata, lanciare un'accusa del genere per svergognare un professore che le stava antipatico, stroncandogli la carriera?

C'era la fotografia del professore sospeso, sui quarant'anni, le parve. Guardava l'obiettivo con aria accigliata. Isabel osservò con attenzione la foto. Aveva un viso gentile, decise, non il ghigno del predatore. Ecco la vittima della caccia alle streghe, si disse, o almeno della sua versione moderna. Le cose non erano cambiate di molto. Caccia alle streghe o molestie sessuali: la strategia persecutoria era più o meno la stessa. Si identificava l'odiato nemico e poi lo si demonizzava. Lo stesso carico emotivo e la stessa energia impiegata un tempo contro le fattucchiere veniva ora incanalata nella caccia alle vittime moderne. Poi si chiese: «E se la ragazza avesse detto la verità?»

Emise un sospiro. Il mondo era imperfetto, e l'aspirazione alla giustizia sembrava un'utopia. Comunque, non era in biblioteca per occuparsi di storie di questo genere, pur con tutte le speculazioni filosofiche che comportavano. Era lì per verificare gli eventi di una settimana ben precisa: quella in cui Ian aveva subito il trapianto di cuore. Risaliva alla metà di ottobre, che doveva essere circa a un quarto del volume, calcolò. Infilò il dito tra le pagine rilegate e girò una pesante risma di carta. Dieci ottobre: troppo presto. Prese altre pagine, preparandosi a saltare di una settimana. In quella, vide il titolo: *Morto insegnante*. Era lo stesso di prima, quello che era stato sospeso dal servizio in seguito all'accusa infamante rivolta contro di lui. L'avevano trovato morto ai piedi delle Pentland Hills, poco fuori città. La polizia aveva trovato un biglietto d'addio e non nutriva troppi dubbi sulle cause del decesso. Lasciava moglie e due figli.

Isabel lesse l'articolo col cuore gonfio. Un amico aveva dichiarato che il professore era innocente, ed era stata quella persecuzione a portarlo alla morte. La polizia confermava che un'adolescente collegata al caso, il cui nome non poteva essere rivelato perché minorenne, era stata indagata con l'accusa di aver tentato di sviare il corso della giustizia. Ovvero, di aver mosso false accuse.

Isabel cercò deliberatamente di levarsi dalla testa quel caso. Aveva energia morale sufficiente solo per un problema alla volta, si disse. Per aiutare il suddetto insegnante e la sua famiglia addolorata non poteva fare nulla. Invece poteva aiutare Ian, sempre che lui lo desiderasse... ed era un altro paio di maniche. Ora aveva sotto gli occhi il primo numero della settimana in questione, e scorreva tutte le colonne, facendo passare ogni pagina per cercare il titolo che desiderava. *Rissa furibonda nei parchi cittadini*. No. *Il sindaco sul piano viabilità: «Alla fine i cittadini lo approveranno»*. No. *Degradato cane poliziotto che azzanna il padrone*. No. Resistette alla tentazione di leggere quest'ultimo. Doveva concentrarsi. (Un cane degradato?)

C'erano le notiziole tipiche dei quotidiani locali: questioni di urbanistica, premi scolastici, piccoli e grandi crimini. Le curiosità non mancavano, come sempre nei piccoli giornali, ma Isabel resistette e sfogliando il quarto giorno della settimana, trovò l'informazione che cercava. Un giovane era stato ucciso in un incidente, causato a quanto pareva da un pirata della strada, che era fuggito. C'era la fotografia della vittima, su due colonne: un ragazzo di vent'anni, con la camicia bianca e una cravatta semplice, che sorrideva all'obiettivo. «Rory Macleod», diceva la didascalia. «Ex alunno della James Gillespie School, fotografato in occasione della festa per il suo ventesimo compleanno.»

Isabel studiò il viso del ragazzo. Era uno dei tanti giovani a cui passava accanto ogni giorno a Bruntsfield, oppure in George Street. Avrebbe potuto essere uno studente oppure un bancario della Bank of Scotland di Morningside, in camicia bianca e cravatta. In altri termini, un tipo che passava inosservato, proprio come se l'era immaginato.

Scorse l'articolo. Il ragazzo aveva giocato a squash a Colinton, diceva il giornale, e poi era andato con i compagni a bere una pinta al Canny Man's. Un amico l'aveva accompagnato fino all'altezza dell'ufficio postale per poi salire verso i Braids, mentre Rory voltava a sinistra in Nile Grove. Circa cinque o dieci minuti dopo essersi congedato dall'amico, il ragazzo era stato ritrovato proprio in Nile Grove, riverso sul bordo del marciapiede, seminascosto da un'auto parcheggiata. A meno di venti metri dalla porta di casa. Era stata chiamata l'ambulanza che l'aveva portato all'Infirmary, ma non aveva superato la notte. Il giornale riportava l'indirizzo e una dichiarazione di uno zio del ragazzo, che parlava di una famiglia distrutta e del terribile senso di perdita che si prova quando viene spezzata una giovane vita tanto promettente. Nient'altro.

Isabel rilesse l'articolo diverse volte. Si annotò il numero della casa di Nile Grove e il nome dello zio intervistato, Archibald. Con un nome così insolito, non sarebbe stato troppo difficile rintracciarlo, nel caso. Diede un ultimo sguardo alla fotografia, al viso di Rory Macleod, e poi passò all'edizione successiva dell'«Evening News». C'era un altro articoletto in cui si confermava quanto già emerso. Rory era stato investito da una macchina, subendo ferite mortali. La polizia faceva appello a chiunque quella notte si fosse trovato nei pressi di Nile Grove. «Qualsiasi cosa abbiate visto potrebbe rivelarsi importante» aveva detto il portavoce. «Comportamenti insoliti. Qualsiasi cosa fuori dall'ordinario.»

Isabel lesse anche l'edizione del giorno successivo, ma non c'erano altri accenni all'incidente. Chiuse la cartella e fece per riportarla al giovane, al banco delle richieste. Il ragazzo la vide avvicinarsi e balzò in piedi.

«Glielo porto io, signorina Dalhousie» disse a bassa voce.

Isabel gli porse il contenitore, ringraziandolo.

«Come procede la 'Rivista'?» le chiese il bibliotecario, prendendo i giornali.

«Sto chiudendo il prossimo numero. È un periodo pieno di impegni.»

Il ragazzo annuì. Avrebbe voluto chiederle un lavoro, ma non trovava le parole. Sarebbe rimasto a fare il bibliotecario, si disse, invecchiando come tutti i suoi predecessori. Guardando quel volto zelante, a Isabel venne da pensare alla caducità dell'uomo. Avrebbe potuto essere lui, il giovane della foto. Invece no. Rory era morto al posto suo, perché aveva avuto la sfortuna di trovarsi in quel punto preciso di Nile Grove proprio mentre passava il pirata della strada. Poi pensò alla persona alla guida. Avrei potuto essere io, si disse. Oppure questo giovane bibliotecario. Invece no. Era un uomo con la fronte alta, gli occhi infossati e la cicatrice. Anzi, chissà se era lui.

Con Jamie si era data appuntamento all'Elephant House, una caffetteria in fondo a George IV Bridge. La sala era ampia, a L, e le finestre sul retro davano su Candlemaker Row. I soffitti alti e le assi del pavimento a vista creavano un effetto un po' tetro, ma le pareti erano tutte decorate con fotografie e modellini di elefanti. Isabel ci si trovava a proprio agio, tra elefanti e studenti, e la usava regolarmente come base per incontrare gli amici. Se il suo Club dei filosofi dilettanti fosse mai riuscito a fare un'altra riunione – sembrava impossibile trovare una data che andasse bene a tutti i soci – quel caffè sarebbe stato un posto perfetto per mettersi a disquisire sulla natura del bene e sulla nostra comprensione del mondo. Jamie, che insegnava fagotto sei ore alla settimana alla George Heriot's School, lo trovava comodo per un caffè veloce dopo le lezioni, più che come luogo d'incontro.

Quando Isabel arrivò, il giovane era già seduto a un tavolo vicino alla finestra, in fondo alla sala, immerso nella lettura dello «Scotsman» – il locale ne teneva diverse copie – con una tazza di caffè davanti. Sollevò lo sguardo all'arrivo di Isabel, e si alzò per salutarla.

«Ti ho fatto aspettare ore» si scusò lei. «Mi dispiace.»

«Cinque minuti. Sono ancora a pagina tre del giornale.» Posò lo «Scotsman» e propose di andare a ordinarle un caffè. Offriva lui.

«Il caffè può aspettare, Jamie» rispose Isabel. «Anch'io ho letto il giornale.»

Il giovane lanciò un'occhiata alla copia posata sul tavolo. «E allora?»

«L"Evening News'» proseguì lei. «In biblioteca.»

«Strano. A meno che...» S'interruppe. Quando Isabel aveva quell'aria, c'era qualcosa in ballo, Jamie lo capiva sempre al primo sguardo. Stava per imbarcarsi in una delle sue temporanee ossessioni. Forse erano gli occhi, determinati, che dicevano: «Non avrò pace finché non andrò in fondo alla questione».

Per un attimo Isabel parve imbarazzata. «Sì» ammise a bassa voce. «Immagino si possa dire che ho qualcosa in mente.» Sollevò una mano. «Lo so, lo so. Non c'è bisogno che tu me lo ripeta.»

Jamie fece un sospiro. «Non ti avrei fatto la predica. Tanto lo so che non serve a niente: fai di testa tua, per quanto io dica. Solo una cosa: sta' attenta. Una volta o l'altra ti ritroverai immischiata in qualcosa che ti sfuggirà di mano davvero. Succederà, lo sai anche tu. Prima o poi andrà a finire così.»

«Lo capisco perfettamente» rispose Isabel. «E ti sono grata di avermelo detto. A te do retta, sai.»

Jamie sorseggiò il caffè. Si pulì uno sbaffo dal labbro superiore. «Non mi pare proprio.»

«Invece sì!» protestò Isabel «Ti ho dato retta in quella storia di Minty Auchterlonie. Ho seguito alla lettera i tuoi consigli.»

«Lì hai avuto fortuna» insistette Jamie. «Ti saresti potuta ficcare in un affare ben più grande di te. Ma non rivanghiamo il passato. In che guaio ti stai ficcando, adesso?»

Nei minuti seguenti Isabel gli raccontò del suo incontro casuale con Ian e di quel che si erano detti allo Scottish Arts Club. Jamie era incuriosito – notò Isabel – sebbene si mostrasse scettico di fronte alla possibilità della «memoria cellulare», proprio come lo era stata lei per prima.

«Sono cose che hanno una spiegazione razionale» le disse alla fine del racconto. «Ce n'è sempre una. E non capisco come altre cellule che non siano quelle del cervello possano immagazzinare i ricordi. Non me ne capacito proprio. È un concetto elementare, ce ne hanno parlato persino alle superiori, durante le ore di biologia.»

«È proprio questo il punto» ribatté Isabel. «Siamo fermi alle solite idee sperimentate, affidabili. Ma se rifiutassimo anche solo la possibilità di qualcosa di completamente diverso, allora non si farebbe mai un progresso. Mai. Staremmo ancora pensando che il sole gira intorno alla terra.»

Jamie assunse un'aria di finta meraviglia. «Non vorrai contestare anche questo!»

Isabel accettò divertita la manifestazione di scetticismo. «Ti devo dire che sono completamente agnostica su questo punto. Cerco solo di affrontarlo con una certa apertura mentale.»

«E a che conclusioni ti porta, questa teoria?» chiese Jamie. «Le cellule del cuore trapiantato, ammettiamo, forse ricordano un viso. E allora?»

Isabel si guardò intorno, senz'altro motivo che il leggero brivido di paura che l'aveva sfiorata. Era irrazionale, ma l'aveva avvertito.

«Il viso in questione potrebbe essere quello del pirata della strada che ha investito il donatore» rispose. «Potrebbe essere rimasto impresso nella memoria – di qualunque tipo essa sia – dopo che la vittima era stata buttata a terra. Il guidatore dell'auto dev'essersi chinato su di lei.»

Jamie storse la bocca. «Ma dai, Isabel!»

«Sì, invece» ribatté lei. «Davvero. E se fosse il volto del pirata della strada, avremmo una descrizione della persona che ha causato la morte del donatore.»

Jamie ci pensò su un momento. Adesso era chiaro cosa era andata a fare Isabel in biblioteca. «Hai trovato un articolo che parla dell'incidente? Sai chi era?»

«Credo di sì» rispose lei. «Sappiamo che era un giovane. È l'unica informazione di cui è in possesso Ian. È bastato fare due più due: una morte violenta e improvvisa avvenuta il giorno in cui hanno convocato Ian per il trapianto ci avrebbe portato all'identità del donatore. E così è stato. Non una grande intuizione, eh? Era abbastanza ovvio.»

Ma era proprio così? Le venne in mente che forse dava troppe cose per scontate, in modo un po' prematuro. Potevano essersi verificati altri incidenti, con altri potenziali donatori giovani. Ma no, Edimburgo non era tanto grande. Era improbabile che due ragazzi fossero morti improvvisamente la stessa notte. Le sue congetture erano sensate, concluse.

Nonostante quel che gli suggeriva il buonsenso, Jamie si sentì attratto da quella storia. Non riusciva a resistere a Isabel, ormai l'aveva capito. C'era in lei qualcosa che lo affascinava: la curiosità intellettuale, lo stile, la verve. Ed era anche una bella donna. Se fosse stata più giovane – un bel po' più giovane – allora probabilmente sarebbe stata sexy quanto quella disgraziata di Cat, le venisse un accidente!

«E allora?» disse Jamie. «Chi è quell'uomo? E cosa facciamo?»

Facciamo, ripeté tra sé. Avrei dovuto dire fai, ma anche stavolta mi sono lasciato infinocchiare da Isabel. Sono in trappola. In una gabbia dorata.

Isabel non sapeva niente di tutto quel dissidio interiore di Jamie. Lo aveva invitato per parlargli delle sue scoperte; non gli aveva chiesto di aiutarla nell'indagine. Ovviamente, se si fosse offerto, poteva esserle di grande aiuto. Ma non gliel'avrebbe chiesto lei.

«Be'» iniziò, «adesso sappiamo chi era quel povero ragazzo e dove abitava. Sappiamo che la polizia ha lanciato un appello.»

«E basta» concluse Jamie. «Non sappiamo... non sai se hanno scoperto chi era il pirata.»

Isabel ammise che quel punto era ancora oscuro. Adesso, però, come minimo avevano una descrizione della persona che poteva essere responsabile dell'incidente.

«Ma cosa te ne fai?» chiese Jamie. «Vai alla polizia? E cosa dici? C'è qualcuno che ha le visioni di un volto: ecco qui l'identikit?» Si mise a ridere. «Sai che bella reazione otterresti!»

Isabel ci rifletté. Non aveva pensato di rivolgersi alla polizia... per il momento. Jamie aveva ragione. Sarebbe stato difficile convincerli a prenderla sul serio, ed era improbabile che portassero avanti le indagini. A meno che l'impulso non venisse dai familiari della vittima. Se si fosse riusciti a convincerli a richiedere di prendere in esame la testimonianza di Ian, difficilmente la polizia avrebbe potuto rifiutare.

Il suo ragionamento venne interrotto da Jamie. «Perché lo fai, Isabel? Che motivo c'è?»

Lo guardò. Era suo dovere, no? Se quelle erano davvero informazioni che portavano al pirata della strada responsabile dell'incidente, allora era suo preciso dovere fare qualcosa. Lo era di ogni cittadino, se voleva fregiarsi di questo titolo. Ma c'era dell'altro. Ascoltando il racconto di Ian, aveva instaurato una relazione morale con lui e con il suo caso. Isabel teneva in gran conto l'idea della prossimità, con tutti gli obblighi morali che essa comportava. Nella vita non possiamo scegliere le situazioni in cui ci troviamo coinvolti; ci finiamo in mezzo, che ci piaccia o no. Ma, se si viene a conoscenza del bisogno di un'altra persona e la si può aiutare, grazie al ruolo che si occupa, allora bisogna farlo. Niente di più semplice.

Fece spallucce. «Devo farlo» rispose a Jamie. «Non posso far finta di niente. Quel pirata dev'essere chiamato a render conto delle sue azioni. E Ian ha bisogno di sapere perché vede quel viso. In ogni caso, la soluzione consiste nello scoprire la verità.»

Jamie guardò l'orologio. Aveva un altro allievo, a cui dava lezioni private a casa sua in Saxe-Coburg Street, all'altro capo della città. Doveva andare. Prima, però, voleva scoprire quale sarebbe stata la prossima mossa. Isabel poteva anche sembrargli testarda – e lo era – ma non poteva fare a meno di trovare interessante tutto ciò che faceva.

«E adesso?»

«Vado a trovare i familiari» rispose Isabel.

«E dici loro che sai chi potrebbe essere stato il responsabile della morte del figlio?»

«Probabilmente sì. Anche se devo fare attenzione» aggiunse Isabel. «Non si sa mai.»

«Te l'ho già detto e ripetuto» insistette Jamie. «Stai attenta. Non puoi entrare come un treno in mezzo al dolore altrui, lo sai.»

Detto questo, il giovane si alzò. Non intendeva offenderla, ma lei c'era rimasta male. Abbassò lo sguardo sul tavolo di legno di pino annerito, senza tovaglia. Doveva provenire da un refettorio, di una scuola forse, ed era consumato dal tempo. Rimase a fissarlo.

Jamie le mise una mano sulla spalla, con delicatezza. «Scusa. Non volevo usare quel tono.»

Lei non rispose. L'aveva dipinta come una di quelle persone che si intromettono nel dolore altrui: i giornalisti della stampa scandalistica, che braccavano i familiari dei defunti per scrivere i loro articoli o scattare una fotografia. Lei non era così. Non voleva andare da quella gente per curiosità. Anzi, non voleva nemmeno vederli. Non lo capiva, Jamie, che lei agiva per senso del dovere? Che c'erano occasioni in cui bisognava comportarsi così? Sarebbe stato facilissimo dimenticare tutto, dire a Ian che non sapeva cosa fare riguardo alle sue visioni. Fare così, però, significava ignorare i diritti dei familiari del ragazzo ucciso; potevano desiderare di scoprire il responsabile dell'incidente. Cosa avrebbero potuto dirle, venendo a sapere che lei aveva degli indizi e non gliene aveva parlato?

Jamie si rimise a sedere. «Senti, ora devo andare. Mi dispiace di aver detto così. Ti chiamo presto. E ti aiuterò a fare quel che desideri, qualunque cosa sia. Va bene?»

«Sì, ma non devi sentirti obbligato.»

«Lo so, Isabel. Ma sembri... Be', lasciamo stare. Siamo amici, no? E tra amici ci si aiuta. È così che si fa. A volte vorrei che fossi... un po' diversa, ma sei fatta così.» Si alzò, prendendo la custodia del fagotto. «E in effetti mi piaci così come sei, lo sapevi?»

Isabel alzò gli occhi a guardarlo. «Grazie» rispose. «Sei sempre un buon amico.»

Jamie uscì, voltandosi a salutarla con la mano mentre varcava la porta d'ingresso. Lei ricambiò il saluto e dopo essersi concessa una sfoglia e una tazzina di caffè, se ne andò a sua volta. Per strada, alla fine di George IV Bridge, dove la via scendeva verso Grassmarket, un gruppetto di turisti guardava la statua di un piccolo terrier scozzese, Greyfriars Bobby. Isabel li superò a passo lento, udendo la guida intonare la consueta spiegazione: «Questa statua ricorda la fedeltà di un cane che rimase seduto accanto alla tomba del suo padrone nel Greyfriars Kirkyard per quattordici anni. Non abbandonò mai il suo posto».

Mentre la guida pronunciava queste parole, Isabel vide l'espressione di uno dei turisti. Chinato in avanti, scuoteva la testa incredulo. Eppure una fedeltà del genere esisteva, e non solo tra i cani. Le persone rimanevano l'una accanto all'altra per anni, nonostante le avversità. C'era da provarne sollievo, non scetticismo. Jamie era fedele, pensò lei. Rimaneva devoto a Cat, anche se non c'erano speranze. Era una cosa quasi commovente, un po' come la storia di Greyfriars Bobby. Forse in un angolo di Bruntsfield ci sarebbe dovuta essere una statua di Jamie. QUESTO GIOVANE RIMASE IN PIEDI DAVANTI ALLA GASTRONOMIA DELLA SUA EX PER QUATTORDICI ANNI, sarebbe stata la scritta sulla lapide. Isabel sorrise di un'idea così balzana. Non bisognerebbe ridere di queste cose, si disse. Ma che alternativa c'era? Intristirsi?

13

Non aveva pensato di far visita a quella casa di Nile Grove se non di lì a qualche giorno, ma dopo aver riflettuto tutta la sera, Isabel decise di andarci la mattina seguente. Sarebbe stato difficile spiegare al telefono le sue intenzioni. Non sarebbe stato semplice neppure di persona, certo, ma sicuramente era meno complicato.

Nile Grove era una via di case vittoriane di pietra che tagliava un pendio. L'originario color miele delle costruzioni era diventato grigio chiaro con il passare del tempo. Era una bella via, e diverse case avevano la facciata decorata. Piccoli giardini ben curati separavano l'ingresso dalla strada, e su molte case accanto alle alte finestre a ghigliottina crescevano rampicanti, edere o clematidi. Era una zona piuttosto cara, tranquilla: lì non si era disturbati dai negozi o dai passanti. Era difficile immaginarsi un guidatore spericolato che sfrecciava in una via del genere, considerò Isabel. Sembrava impossibile che fosse stata teatro della tragica morte di Rory Macleod.

Trovò la casa che cercava e aprì il cancelletto di ferro battuto che dava sul vialetto d'ingresso. Il campanello era a strappo, all'antica. Si tirava un filo, che provocava una scampanellata in un punto imprecisato all'interno della casa, quasi impercettibile da fuori. Isabel tirò la manopola e attese. Non sapeva se c'era qualcuno in casa e dopo circa un minuto fu tentata di riprendere il vialetto, scartando con un certo sollievo l'idea di incontrare la famiglia Macleod. Invece, all'improvviso, la porta si aprì e si trovò davanti una donna.

Isabel la osservò. Era Rose Macleod, citata dall'articolo dell'«Evening News». Aveva qualche anno più di Isabel, forse sui cinquanta, e portava un lungo abito celeste un po' informe. Aveva un viso sveglio, intelligente, che colpiva al primo sguardo. Un tempo la si sarebbe potuta dire bella. Pur essendo un po' sfiorito, quel volto emanava un senso di pace e di calma. Poteva essere il viso di una musicista: magari una violinista, azzardò Isabel.

«Sì? Dica pure.» La voce di Rose Macleod era proprio come Isabel se l'era immaginata: tranquilla, con le erre arrotate tipiche della parte sud di Edimburgo.

«La signora Macleod?»

Rose Macleod annuì, e sorrise incerta alla visitatrice.

«Mi chiamo Isabel Dalhousie» proseguì lei. «Abito dietro l'angolo... be', un po' più in giù. A Merchiston.» Fece una pausa. «Immagino di essere quasi sua vicina.»

Rose Macleod sorrise. «Capisco.» Esitò un istante, poi disse: «Le va di entrare?»

Isabel la seguì nell'ingresso e oltre una porta che scendeva nel salotto. Era una stanza comoda, che dava sulla strada, con una parete occupata interamente da una libreria. Era il tipico salotto delle case di Nile Grove, considerò Isabel, specchio di un quartiere di solida cultura. Sopra il fregio del caminetto edoardiano, coperto di piastrelle dipinte *fin de siècle*, c'era il ritratto di un giovane, dipinto secondo lo stile di Stephen Mangan, piatto, quasi unidimensionale, e un po' inquietante. Una coppia di vasi cinesi *famille rose* era poggiata sulla mensola del caminetto.

Isabel era contenta che Rose Macleod l'avesse invitata a entrare. Sembrava un atto di eccessiva fiducia, di questi tempi, far entrare in casa una sconosciuta, ma a Edimburgo si usava ancora, o almeno in certe parti della città. Si sedette vicino al camino, su una poltroncina dallo schienale avvolgente.

«Mi spiace piombarle in casa così all'improvviso» attaccò Isabel. «Non ci conosciamo, ovviamente, ma ho saputo... di suo figlio. Mi dispiace tantissimo.»

Rose chinò un po' il capo di lato. «Grazie. È successo qualche mese fa, come sa. Eppure... sembra ieri.»

«Ha altri figli?»

Rose annuì. «Ne avevamo tre. Rory era il maggiore. Gli altri due fanno l'università altrove. Uno a Glasgow e l'altro ad Aberdeen. Studiano entrambi ingegneria.» Fece una pausa, studiando Isabel con quegli occhi azzurri penetranti. «Ho perso mio marito diversi anni fa. Anche lui era ingegnere.»

Calò il silenzio. Isabel si stringeva le mani, tastando il profilo ossuto delle nocche. Rose la guardava, in attesa.

«Il motivo per cui sono venuta qui» disse Isabel «ha a che vedere con l'incidente. Mi chiedevo se la polizia avesse fatto progressi. Sull'Evening News' ho letto che avevano lanciato un appello a eventuali testimoni. Si è presentato qualcuno?»

Rose distolse lo sguardo. «No. Neanche una parola. Niente di niente. La polizia dice che anche se formalmente il caso è ancora aperto, è improbabile che trovino elementi che permettano di proseguire nelle indagini.» Prese un sottobicchiere dal tavolino accanto alla sua sedia, e iniziò a rigirarselo tra le mani. «In realtà, ci stanno dicendo di non illuderci che troveranno una risposta all'accaduto. Punto e basta, insomma.»

«Dev'essere difficile accettarlo per lei» disse Isabel. «Non sapere com'è andata.»

Rose rimise a posto il sottobicchiere. «Certo. Lascia tutto in sospeso... tutto irrisolto.» S'interruppe e tornò a scrutare Isabel. «Però, mi scusi, posso chiederle perché è venuta a parlarmi di queste cose? Lei sa qualcosa, signora... signora Dalhousie?»

«Signorina» la corresse Isabel. «No. Non so niente di preciso, temo, ma forse ho delle informazioni che potrebbero far luce sull'incidente. C'è questa possibilità.»

Le sue parole ebbero un effetto immediato su Rose. Irrigidendosi, si chinò verso di lei. «Per favore, mi dica di cosa si tratta» sussurrò. «Anche se pensa sia poco importante. La prego.»

Isabel stava per cominciare. Si era preparata il discorso: avrebbe parlato del suo incontro con Ian e delle cose che lui le aveva raccontato. Non intendeva fare menzione dell'altro caso – quello dell'omicida, di cui le aveva parlato Ian – ma era pronta a sottoporlo a Rose, se la donna si fosse dimostrata troppo scettica.

Iniziò a parlare. «Assolutamente per caso, ho conosciuto un uomo...»

Dalle altre stanze venne il rumore di una porta che si apriva. Rose alzò la mano per interrompere Isabel.

«Graeme. Il mio compagno. Può aspettare un attimo? Mi piacerebbe che sentisse anche lui.»

Si alzò e andò ad aprire la porta del salotto, che si era chiusa dietro le spalle quando erano entrate. Isabel la udì dire qualcosa all'uomo che stava fuori. Entrò. Era alto, circa della stessa età di Rose. Isabel lo guardò. Vide la fronte spaziosa, la cicatrice. E gli occhi, decisamente infossati. Lo capì subito, senz'ombra di dubbio: era quello il viso che era apparso a Ian.

Prese la mano che l'uomo le aveva porto e la strinse. Le presentazioni, la formalità della stretta di mano, le diedero quanto meno un po' di tempo per pensare. Passò rapidamente in rassegna le opzioni. Non poteva certo proseguire il discorso, ora che era entrato Graeme. L'uomo che doveva descrivere ce l'aveva seduto di fronte. Ma non poteva neppure dire tutto d'un tratto che si era dimenticata di quello che intendeva raccontare loro.

Per chissà quale motivo, le venne in mente Grace. Capì cosa doveva dire. Mentre Rose spiegava a Graeme che Isabel era venuta a portar loro delle informazioni, lei ripassò quel che avrebbe detto. Avrebbe lasciato fuori Ian, affermando di aver avuto la visione in prima persona.

«So che penserete che sia una cosa ridicola» disse. «Mi capita spesso. Vedete, sono una medium.»

Vide Graeme lanciare un'occhiata a Rose. Lui di sicuro pensa che sia una sciocchezza. Ottimo. Rose, però, rifiutò quello sguardo complice. «Non lo trovo ridicolo» rispose a voce bassa. «La polizia si è servita spesso dell'aiuto dei medium, l'ho letto. Possono rivelarsi molto utili.»

Graeme fece una smorfia. Non era d'accordo. Eppure, a Isabel venne da chiedersi se le pareva ansioso. Se fosse stato lui il pirata della strada, si sarebbe preoccupato all'apparizione di una bizzarra medium che poteva gettare sospetti su di lui? Ma perché avrebbe dovuto lasciare Rory per la strada, se l'aveva investito per errore? La risposta le fu subito chiara. Se al momento era alla guida in stato di ebbrezza, aver investito qualcuno poteva comportare una pena detentiva fino a dieci anni. Era risaputo. Ci si poteva far prendere dal panico, con quella prospettiva.

«La prego, ci dica» la implorò Rose. «Ci dica cosa ha visto.»

Isabel si guardò le mani. «Ho visto un uomo che scendeva in auto lungo una via. Un ragazzo che attraversava davanti alla macchina e veniva investito. L'uomo ha fermato la macchina ed è sceso. L'ho visto chinarsi sul giovane. Il guidatore dell'auto era tarchiato, un po' cicciottello, con i capelli chiari. È questo che ho visto.»

Isabel sollevò lo sguardo dalle mani. Si accorse che Graeme, che era rimasto in piedi mentre lei iniziava a raccontare, si stava sedendo. Sembrava più rilassato, e guardava Rose con un sorrisetto sulle labbra.

«Lei non mi crede, signor...»

«Forbes» rispose lui. «No, la prego non si offenda. Solo che non capisco come possano essere vere cose del genere. Mi dispiace. Senza offesa per la sua... vocazione.»

«Non c'è problema» disse Isabel, alzandosi in piedi. «Non voglio imporre la mia visione a chi non intende accoglierla. Noi medium non agiamo in questo modo. Scusatemi, vi prego.»

Rose si alzò subito. Fece un passo avanti e prese la mano a Isabel.

«La ringrazio di essere venuta a trovarci. Davvero. Riferirò alla polizia quel che ci ha detto, glielo prometto.»

Isabel non vedeva l'ora di andarsene. L'arrivo di Graeme l'aveva turbata moltissimo, e il sotterfugio a cui era dovuta ricorrere non aveva certo migliorato la situazione. Le pareva grave imbrogliare in quel modo una madre ancora in lutto, anche se, date le circostanze, non aveva avuto molta scelta.

«La prego, non si senta obbligata ad andarsene» insistette Rose. «Non le ho neppure offerto qualcosa. Una tazza di tè? Un caffè?»

«Lei è molto gentile» ribatté Isabel. «Ma vi ho portato via fin troppo tempo. Non sarei nemmeno dovuta venire.»

«Ma certo che sì» si affrettò a rassicurarla Rose. «Sono

lieta che sia venuta. Davvero.» S'interruppe, lasciando la mano di Isabel, e scoppiò in lacrime: «Ha visto... ha visto il viso di mio figlio nel suo sogno? È venuto da lei?»

Isabel fece un gran respiro. Si era intromessa nella vita di quella donna senza permesso. E ora aveva completato il danno facendole credere di aver visto suo figlio. Era una risposta improvvisata di fronte a un risvolto inatteso, una storiella che non doveva essere presa troppo sul serio. Ma la donna ne era stata colpita nel profondo.

«Mi dispiace» si giustificò. «Non l'ho visto in faccia. Non mi ha parlato. Mi dispiace.»

A quel punto Graeme si alzò dalla sedia, andando a cingere le spalle di Rose con il braccio, con fare protettivo. A Isabel rivolse uno sguardo di fuoco.

«Per favore, se ne vada da questa casa» le disse, trattenendo a stento l'ira. «Immediatamente.»

Nel pomeriggio andò da Jamie, in Saxe-Coburg Street. Era tornata a casa, dopo la visita a Nile Grove, ma non era riuscita a calmarsi. Grace aveva capito che qualcosa non andava, e le aveva chiesto se si sentiva bene. Per quanto avesse una gran voglia di confidarsi con la governante, non poteva. Aveva detto di essere una medium: che vergogna, che affermazione ridicola. Ne era uscita piuttosto male, si disse, anche se era stata una bugia inventata sui due piedi per affrontare una situazione del tutto inaspettata. Perciò rassicurò Grace: non c'era niente che non andava. Altra bugia, ma più consueta. Decise invece di andare da Jamie prima possibile, ovvero quel pomeriggio stesso.

Era uno dei giorni che il giovane riservava alle lezioni private, nel suo appartamento. Isabel sapeva che non amava essere disturbato mentre insegnava, ma era una situazione d'emergenza e richiedeva misure straordinarie. Perciò attraversò la città a piedi, scendendo per Dundas Street e fermandosi brevemente in qualche galleria d'arte per far arrivare l'ora in cui Jamie avrebbe congedato l'ultimo allievo. Nelle vetrine delle gallerie non c'era niente che la interessasse, e neppure all'interno trovò nulla: era troppo turbata per apprezzare l'arte.

In Henderson Row si ritrovò in mezzo ai ragazzini che uscivano a frotte dalla Edinburgh Academy, con la giacca grigia di tweed della scuola, impegnati in quelle conversazioni fitte fitte che gli studenti amano fare in gruppo. In lontananza, in qualche recesso della costruzione scolastica, la Academy Pipe Band stava provando, e Isabel si fermò un istante ad ascoltare l'andamento sinuoso delle cornamuse. Era *Dark Island*, la riconobbe. Come tante canzoni tradizionali scozzesi aveva una melodia ossessiva e incantevole, che parlava di perdita e separazione. Quanti splendidi lamenti aveva prodotto la Scozia. Il desiderio disperato lo sapeva raccontare bene. L'Irlanda invece era molto più gaia...

Continuò a camminare, con il suono delle cornamuse che si affievoliva sempre più. Saxe-Coburg Street faceva angolo con l'Academy. Anzi, le finestre sul retro dell'appartamento di Jamie davano proprio sui prati della scuola e sulle grandi vetrate del dipartimento d'arte. Volendo, ci si poteva mettere alla finestra e guardare i ragazzi più grandi che dipingevano durante l'ora di ritratto dal vero, oppure i più piccoli che giocavano con la creta, modellando vasi informi da portare a casa ai genitori ammirati, che li avrebbero confinati in fondo a un armadio dopo un ragionevole lasso di tempo. Non suonò il campanello in fondo alle scale comuni, ma salì per diversi piani percorrendo i gradini di pietra fino alla porta di Jamie, davanti alla quale si fermò, in ascolto. Silenzio. Poi un mormorio di voci e il suono di una scala eseguita con il fagotto, prima esitante e poi più sicura. Guardò l'orologio. Aveva pensato che per quell'ora Jamie avesse finito, ma aveva fatto male i calcoli. Decise comunque di bussare, forte, in modo che il giovane riuscisse a sentirla dalla stanza sul retro che usava come studio.

Venne ad aprire stringendo un quaderno di spartiti scritti a mano.

«Isabel!»

Era sorpreso di vederla, ma non aveva l'aria seccata.

«Sto ancora facendo lezione» le disse, abbassando la voce. «Vieni, ti faccio aspettare in cucina. Ne ho ancora per...» Le prese delicatamente il polso per guardare l'orologio. «... dieci minuti. Non di più.»

«Non volevo disturbarti» spiegò entrando nell'ingresso. «Solo che...»

«Non preoccuparti» le rispose, dirigendosi verso il suo studio. «A dopo.»

Isabel vide un ragazzino con la giacca dell'Academy seduto vicino al pianoforte, con un fagotto in mano. Allungava il collo per vedere chi era arrivato. Isabel gli fece ciao con la mano e lui rispose con un cenno imbarazzato del capo. Attraversò la cucina e si sedette al tavolo di pino di Jamie. Sul ripiano c'era una copia della rivista «Strumenti a fiato», che Isabel sfogliò pigramente. Fu colpita dall'illustrazione di un articolo sui bassi. Un uomo, in piedi accanto a un sassofono contrabbasso, lo reggeva con una mano, mentre con l'altra lo indicava con l'aria trionfante di chi ha catturato un esemplare raro. E lo strumento doveva essere proprio una bella preda, a quanto diceva l'articolo. Veniva da una fabbrica italiana che produceva ancora strumenti di quelle dimensioni, per la cifra di... rimase sbalordita dal prezzo. Però era proprio un oggetto dalla fattura mirabile, con le chiavi, le leve e le enormi protezioni di pelle, grandi come piattini rovesciati.

Si trovò davanti Jamie, con il ragazzino al fianco.

«È incredibile, vero?» disse lui all'allievo.

Isabel sollevò lo sguardo. La rivista era aperta sul tavolo e il bambino guardava la foto del sassofono contrabbasso.

«Ti piacerebbe averne uno, John?» chiese Jamie.

Il ragazzino sorrise. «E come si fa a sollevarlo?»

«Ha un sostegno apposito. Conosco uno che ha un sassofono basso normale, un po' più piccolo di questo. Ha anche quello un sostegno, con tanto di ruote.» Fece una pausa. «La signora è Isabel Dalhousie, John. È una mia amica. Suona bene il piano, sai, anche se è troppo modesta per vantarsene.»

Isabel si alzò e strinse la mano al ragazzino. John era in quell'età in cui ci si imbarazza facilmente, e arrossì subito. Dev'essere difficile, pensò, trovarsi così in mezzo al guado: non ancora uomo, non più bambino. Una via di mezzo, alle prese con le lezioni di fagotto, per di più.

Il ragazzino se ne andò, rivolgendo un educato cenno del capo a Isabel. Jamie lo accompagnò alla porta e tornò in cucina.

«Bene» disse. «L'ultimo adolescente del giorno.»

«Sembra abbastanza simpatico» commentò Isabel.

«Direi di sì. Ma è pigro. Non si esercita. Dice di sì, ma non s'impegna.»

«Genitori ambiziosi?» chiese Isabel.

«Una madre troppo pressante. Edimburgo pullula di

madri così. E la maggior parte manda i figlioletti a lezione di fagotto da me.» Sorrise. «Le bollette me le paga l'ambizione esagerata delle madri. Campo sulle loro spalle.»

Andò all'altro capo della cucina e riempì d'acqua il bollitore.

«È successo qualcosa, vero?» La guardò con aria quasi triste. «Dai, racconta.»

Jamie era bravo a interpretare gli umori di Isabel. La capiva al volo, lei l'aveva sempre pensato. Ed era un'idea un po' allarmante, perché se era in grado di capirla così bene, allora poteva avere qualche sentore di quel che provava per lui, di «quei sentimenti», come li chiamava lei? E comunque ormai riusciva a tenerli sotto controllo agevolmente, «quei sentimenti». Ah sì, di sicuro non erano più un problema. Non credeva proprio fosse il caso che lui sapesse: non sempre vogliamo far sapere alle persone che ci piacciono che le desideriamo, soprattutto se è un desiderio irrealizzabile o inappropriato. Era molto facile, per esempio, che un uomo di mezza età s'innamorasse di una donna giovane, affascinato dalla bellezza, dal fisico snello, da altre qualità del genere, ed era probabile che la ragazza rimanesse inorridita, rifiutandolo. Essere amati da chi non suscita amore è una cosa che molti non riescono ad accettare. Perciò i sentimenti vanno tenuti nascosti, come aveva fatto lei con Jamie... O almeno, sperava di esserci riuscita.

«Sono andata da loro» gli disse, senza girarci troppo intorno. «Sono andata da quelle persone. Da Rose Macleod, la madre.»

Jamie si sedette al tavolo. Incrociò le braccia. «E allora?»

«Sono andata a casa loro in Nile Grove» proseguì Isabel. «Ho parlato con la madre, che mi ha invitato a entrare. È una donna piacevole. Con un viso interessante.»

«E poi?»

«Poi, stavo per raccontarle la visione di Ian, sull'uomo con la fronte alta e gli occhi infossati, quando è arrivata una persona.»

Jamie la invitò a proseguire. Non ha ancora capito, pensò Isabel.

«Era il suo compagno, il convivente» disse lei. «È entrato, ho alzato gli occhi e mi sono trovata davanti l'uomo descritto da Ian. In carne e ossa. Fronte alta e occhi infossati. Con la cicatrice. Proprio come me l'ero immaginato dalla descrizione.»

Per un istante Jamie non aprì bocca. Allargò le braccia e abbassò gli occhi sul tavolo prima di tornare a fissare sbalordito Isabel.

«Oh, no» fece a bassa voce. Poi aggiunse, quasi impercettibilmente: «Isabel».

«Già. Ci sono rimasta di sale, immaginati. Perciò mi sono inventata una storia ridicola, dicendo di essere una medium e di aver avuto una visione dell'incidente. Un mucchio di sciocchezze melodrammatiche. Tremendo. Ma non mi è venuto in mente altro.»

Jamie rifletté per un attimo. «È stata una bella trovata. Non so se sarei stato così pronto.»

«Mi è dispiaciuto» disse Isabel. «Poveraccia. È una cosa deprecabile, raccontare bugie a una persona in lutto, sostenendo di aver visto il defunto.»

«Non ci sei andata per quello» la rassicurò Jamie. «Non sei mica una ciarlatana che sfrutta il dolore altrui. Io non ci penserei più.»

Isabel sollevò lo sguardo. «Davvero?»

«Sì» rispose Jamie, alzandosi in piedi per preparare il

tè. «Davvero. Il problema, Isabel, è che ti maceri troppo. Prendi a cuore ogni cosa. Devi essere un po' più dura e lasciar perdere i sensi di colpa di tanto in tanto.»

Lei fece un gesto d'impotenza. «Non è così facile.»

«Più di quanto tu non creda» rispose Jamie. «Prendi me. Non mi preoccupo in continuazione delle mie azioni. Ti sembro oppresso dalla colpa?»

«Forse perché non hai fatto niente di cui doverti vergognare» replicò Isabel. «*Tabula rasa*. Candido come la neve.»

«Potresti rimanere sorpresa» rispose Jamie. Esitò un istante, poi aggiunse: «Avevo una relazione con una donna sposata. Te la ricordi? Anche tu non la vedevi di buon occhio».

«Sì, ma perché...» Isabel riuscì a fermarsi. Aveva già fatto capire che era gelosa delle compagnie femminili di Jamie: non c'era bisogno di spiattellarglielo.

«E poi ho un altro scheletro nell'armadio» proseguì Jamie. «Risale a molto tempo fa. Avevo circa sedici anni.»

Isabel sollevò una mano. «Non voglio saperlo, Jamie.»

«Va bene. Torniamo alla tua visita. Che casino.»

«Già. Adesso cosa faccio? Se la teoria di Ian è giusta, allora il pirata della strada è il compagno della madre. E non mi sembra un'ipotesi del tutto improbabile. Supponiamo che quell'uomo stesse tornando da una festa, o dal pub, dopo aver bevuto troppo. È quasi a casa, quando da dietro un'auto parcheggiata gli si para davanti Rory, e lui lo investe. Non è così ubriaco da non capire che se arriva la polizia – inevitabile, quando si chiama l'ambulanza – gli faranno il test del palloncino e risulterà in stato di ebbrezza. Chiunque abbia la patente oggigiorno sa che se si ammazza qualcuno guidando sotto l'effetto degli alcolici si finisce in galera, e anche per un bel pezzo. Controlla i paraurti: non ci sono segni evidenti dell'impatto. Perciò torna a casa e fa finta che non sia successo niente.»

Jamie ascoltava attentamente. «È credibile» disse al termine della ricostruzione. «E ora?»

«Non lo so» rispose lei. «Non è chiaro, no?»

Jamie fece spallucce. «Ah, no? Ammettiamo che la descrizione di Ian abbia un senso. In questo caso non hai fatto altro che scoprire, abbastanza in fretta, che la persona che la polizia dovrebbe interrogare è il convivente della madre del povero Rory. Basta che passi l'informazione alla polizia, e fine. Puoi lavartene le mani.»

Isabel non era d'accordo. «E se è innocente? Se il racconto di Ian non ha senso? Immagina come finirebbe il loro matrimonio, o la loro relazione o comunque la si voglia chiamare.»

«Uno dei tuoi soliti dilemmi morali» disse il giovane, sorridendo. «Ne parli spesso nei tuoi editoriali sulla 'Rivista', no? Be', eccotene uno vero. Tratto dalla realtà. Però, mi dispiace, Isabel, te lo devi risolvere da sola. Io sono un musicista, non un filosofo.»

14

Sarò troppo scettica, pensò Isabel. Eppure una dose di scetticismo in certi casi è doverosa. Altrimenti si finisce per credere a una serie di cose inammissibili. I creduloni si trovano tra i piedi una lunga sequela di trappole, che sembrano moltiplicarsi di giorno in giorno: le guarigioni miracolose, l'aura, i cucchiaini piegati, le percezioni extrasensoriali. Certo, c'è la telepatia, l'eccezione in quel panorama di baggianate new age: se ne parlava da tempo immemore, tanto che era diventata quasi una scienza. Fior di persone razionali e con la testa sulle spalle erano pronte a spergiurare di aver provato esperienze telepatiche. Forse c'era del vero. Eppure il professore di parapsicologia dell'università di Edimburgo aveva svolto test approfonditi sulla comunicazione telepatica. Risultato: zero. Avevano preso gruppi di volontari, a centinaia, e li avevano portati nei laboratori universitari, chiedendo loro di cercare di indovinare la carta scelta da una persona nella stanza accanto. E non si era andati mai oltre il livello della casualità statistica. Come si poteva sostenere allora che non fosse solo una coincidenza il fatto di aver pensato a qualcuno poco prima che ci telefonasse? Un caso. Nient'altro. Quella della casualità, però, è una spiegazione troppo concreta, che nega la possibilità del paranormale, e di solito si resta delusi di fronte alle soluzioni banali. Il mistero, l'ignoto, sono molto più emozionanti:

fanno balenare la possibilità che il nostro mondo non sia prosaico quanto temiamo. Sono tentazioni a cui bisogna opporsi, le pareva, perché possono solo condurre a un mondo oscurantista e spaventoso.

Eppure eccomi qua, si disse Isabel, in mezzo a Charlotte Square insieme a Grace, dirette alla sede della sua associazione spiritista dalle parti di Queensferry Place. Aveva deciso di mantenere una certa apertura mentale, dovette ricordarselo. In fondo, un tempo in Europa c'era gente che aveva riso all'idea dell'esistenza di un altro continente, della scoperta dell'America. Be', ce n'era ancora di gente che rideva pensando agli americani, e guardava con sussiego il Nuovo Mondo. Era un atteggiamento che le faceva rabbia, perché nascondeva un'ignoranza abissale, da entrambe la parti. A New York, o meglio, in città come Houston, c'era gente convinta che l'Europa – così come il resto del mondo – fosse un luogo bizzarro e malsano. Mentre in altri posti, Parigi per esempio, gli americani erano considerati tutti degli xenofobi «geograficamente svantaggiati». Ottusi pregiudizi.

Certo, a Houston qualcuno che avrebbe incontrato difficoltà a individuare su una cartina Parigi, e probabilmente anche qualsiasi altra località, e non era esattamente aggiornatissimo sui leit motiv della vita culturale francese, c'era. Possibile, sicuramente. Diede un'occhiata a Grace, mentre svoltavano l'angolo sul lato sud della piazza. Aveva concluso gli studi a diciassette anni. Prima, però, aveva goduto della tradizionale istruzione scozzese, concentrata soprattutto su grammatica, matematica e geografia. Avrebbe saputo individuare Houston? Sarebbe stato interessante scoprire quant'era conosciuta l'ubicazione di Houston tra la gente, in generale, e in che posizione si collocava Grace. Avrebbe potuto chiederglielo direttamente? Sarebbe stato scortese: non si chiede a qualcuno di punto in bianco «Dov'è Houston?» A meno, certo, che non la si stia cercando per davvero.

Era immersa in queste riflessioni, quando si avvicinò loro un uomo massiccio con un giubbino estivo, in compagnia di una donna in tailleur pantalone beige. Tirò fuori di tasca una cartina ripiegata. Isabel notò la pelle, chiarissima, e un'eritema solare sulla fronte, all'attaccatura dei capelli.

«Mi scusi» la interpellò l'uomo. «Cerchiamo la National Gallery, e forse...»

Isabel gli sorrise. «Non è lontana. Basta che seguiate Princess Street, la via laggiù in fondo.»

Prese la cartina e gli indicò dove si trovavano in quel momento. Poi sollevò lo sguardo. Aveva un certo orecchio per le inflessioni. «Texas?» gli chiese. «O Louisiana?»

L'uomo fece un gran sorriso. «Houston.»

Isabel gli restituì la cartina e gli augurò buona permanenza. Iniziò ad attraversare la strada insieme a Grace.

«Houston, Grace» disse, per fare conversazione.

«Non ci sono mai stata» fu la risposta. «Una volta sono stata a Detroit a trovare una zia, che si era trasferita là.»

Isabel non riuscì a trattenersi: «Sono piuttosto lontane, no? Che paese enorme. Houston, Detroit».

«Dipende dal mezzo di trasporto.»

Isabel non si arrese. «A volte me la confondo, Houston. Con tutte quelle città, non ci capisco più niente.»

«Guardi sulla cartina. Houston la trova facilmente» rispose Grace, premurosa.

Isabel rimase zitta mentre imboccavano il vicoletto che portava in Queensferry Road, superando West Register House. Straordinaria coincidenza, che tra tutte le città possibili le fosse venuta in mente Houston, proprio un istante prima che un turista di quella città le chiedesse indicazioni. Ancora più inquietante era il fatto che in quel preciso momento stava riflettendo sulla telepatia; stranezza su stranezza, era diretta, dietro invito di Grace, a una seduta spiritica nella sede della loro associazione, dove una coincidenza del genere avrebbe sicuramente suscitato grande interesse.

Giunsero in Queensferry Road e Grace le indicò il palazzo all'angolo. «Eccoci. Al terzo piano.»

Isabel guardò l'edificio. Era l'ultima propaggine di un'elegante complesso di pietra grigia, classico e austero come tutti i palazzi dell'ampia curva occupata dalla New Town georgiana. Al pianterreno c'erano vetrine di negozi: una gioielleria, che esponeva argenti, e un'edicola con il cardo blu scozzese, stemma dello «Scotsman». Sembrava un palazzo qualsiasi, una sede di uffici senza alcuna indicazione particolare.

Attraversarono Queensferry Road ed entrarono nella porta azzurra. Dal piccolo atrio una scalinata di pietra conduceva ai piani superiori. I gradini erano consumati, intaccati dai piedi che avevano calcato la pietra per più di duecento anni, grattandola via poco a poco.

«Noi stiamo all'ultimo piano» spiegò Grace. «Tra l'altro, il palazzo ci ha dato dei problemi. I tubi erano di piombo: hanno dovuto sostituirli tutti.»

Isabel la capiva perfettamente. Era bello abitare in una città antica, ma quel piacere si portava dietro un pesante fardello di costi di manutenzione. Anche gli spiritisti se lo dovevano sobbarcare: l'aldilà, al riguardo, non poteva essere d'aiuto.

Arrivarono in cima alle scale. Mentre salivano, era sceso un uomo con un cappello marrone di feltro. Passando, aveva salutato Grace con un cenno del capo, ricambiato dalla governante.

«Ha vissuto tutta la vita con sua madre» sussurrò lei, quando l'uomo ormai non poteva più sentire. «È spirata qualche mese fa e ora il figlio la cerca per farsi dare qualche informazione sui suoi conti in banca. Non sa dove li teneva.» Scosse il capo. «Non dovrebbe servire a questo. Noi non dovremmo dare certe informazioni. Chi sta all'altro mondo è superiore a certe piccolezze. Ci danno indicazioni su come vivere: quelle sì, che sono utili.»

Isabel stava per dire che le sembrava utile anche sapere l'ubicazione dei conti in banca, ma si trattenne. Disse invece: «Deve sentirsi solo».

«Sì» rispose Grace.

Giunsero a una porta aperta, all'ultimo piano, ed entrarono nell'ingresso. In precedenza doveva essere stato un appartamento normale, considerò Isabel, una casa con stanze normali abitata da una famiglia, e non un luogo di pellegrinaggio o di ricerca spirituale: ma adesso aveva quella funzione per il gruppetto che vide seduto nella sala riunioni oltre l'ingresso.

Grace le indicò un'altra porta, nell'ingresso. «La biblioteca» spiegò. «Una delle migliori raccolte di tutto il paese su questo argomento.»

Isabel diede un'occhiata alla parete coperta di volumi. In quel campo c'erano libri oscuri, intoccabili... ma probabilmente si poteva dire lo stesso dei saggi di matematica pura. Emise un vago grugnito d'approvazione.

Grace le fece strada nella sala riunioni, ampia, con un camino a un'estremità, davanti al quale c'erano un podio e un leggio. Accanto, una poltrona e un tavolino su cui erano disposti dei fiori. Sulla poltrona sedeva una donna piuttosto spigolosa, più o meno dell'età di Grace, con le mani posate in grembo. Fissava il soffitto, ma quando Grace e Isabel erano entrate aveva posato lo sguardo su di loro, studiandole. Al centro della sala erano state allineate diverse file di sedie. Grace le indicò dei posti quasi in fondo.

«Da lì si ha la visuale migliore.»

Dopo essersi seduta, Isabel si guardò intorno con discrezione. Si era sempre un po' a disagio, a parer suo, quando si assisteva ai riti spirituali o religiosi altrui. Ci si sentiva un po' come estranei a una festa di famiglia, o protestanti a San Pietro, o gentili al muro del Pianto. Il mistero lo s'intuiva, si comprendeva l'importanza che rivestiva per gli altri, ma era un'esperienza che non si riusciva mai a condividere fino in fondo. Ciascuno porta con sé il proprio mistero fin dalla nascita, pensò Isabel, scrutando prima i fiori, poi il volto impassibile della medium, ma i misteri altrui potrebbero accoglierci e abbracciarci. Allora sì che ci ritroveremmo a casa, avremmo il nostro posto nel mondo!

Nella sala entrò un uomo, che si sedette proprio dietro di loro. Si chinò a sussurrare qualcosa a Grace, la quale sorrise e diede una risposta che Isabel non riuscì a sentire. Notò il soprabito, che l'uomo non si era tolto, molto costoso. Considerò il profilo regolare e la chioma di capelli folti. Sembra in tutto e per tutto... cosa? si chiese. Un commercialista o un direttore di banca? Un tipo che infondeva sicurezza, concluse.

Si accorse che la medium aveva distolto gli occhi dal soffitto, e ora guardava l'uomo seduto dietro di loro. Non lo fissava continuamente, ma ogni volta che spostava lo sguardo verso qualcun altro, finiva per tornare a posarlo su di lui.

Un altro uomo in abito scuro percorse il corridoio tra le file di sedie e salì sul podio. Salutò con il capo la medium e si girò verso la trentina di persone presenti in sala. «Amici, vi porgo il mio saluto. Che siate membri dell'associazione o semplici visitatori, siete i benvenuti.» Isabel ascoltava attentamente. Aveva l'accento delle Ebridi, si disse, riconoscendo la melodiosa cadenza delle isole. Notò il vestito, uno di quei completi ampi che i mezzadri scozzesi indossavano la domenica, e si ricordò che da ragazza era stata sull'isola di Skye... con John Liamor, forse? Sì. Erano passati accanto alla casa di un mezzadro, bassa e dipinta di bianco, circondata da campi e con una fila di colline in lontananza, e aveva visto un vestito del genere fresco di bucato, appeso ad asciugare sul filo davanti alla casa. Il vento si infilava nelle maniche e nelle gambe del completo, facendolo agitare come fosse stato vivo.

Venne dato qualche avviso, poi l'oratore presentò la medium. Niente cognome: Anna, e basta. Quindi scese dal podio e andò a sedersi in prima fila.

La medium si alzò. Guardò i presenti in sala e sorrise. Aveva le mani giunte davanti a sé e le aprì in gesto di supplica. Chiuse gli occhi, rovesciando la testa all'indietro. «Abbandoniamoci ai nostri pensieri» disse. «Apriamo il cuore al mondo dello spirito.»

Rimasero in silenzio per dieci minuti, o forse più. Alla fine la medium parlò di nuovo. «C'è qualcuno. Sento che sta arrivando una bambina.»

Isabel vide irrigidirsi la donna davanti a lei, e capì quale perdita aveva subito. Quanto dolore.

La medium aprì gli occhi. «Sì, c'è una bambina, e mi sta dicendo qualcosa...»

La donna nella fila anteriore si sporse in avanti e lo sguardo della medium si posò su di lei.

«Sei tu, cara, vero?» disse la medium. «È per te?»

La donna annuì, muta. La sua vicina di posto le posò delicatamente una mano sulla spalla.

La medium si fece avanti di un passo. «Mia cara, c'è una bambina che dice che è sempre con te e ti protegge. Il suo amore sarà sempre con te e intorno... intorno a te ogni istante, finché non andrai a raggiungerla. Dice che devi essere coraggiosa. Sì, dice così. Devi essere coraggiosa. E lo sei, dice. Sei sempre stata coraggiosa.»

«Ha perso un bambino» sussurrò Grace. «Ma a volte non riescono a vedere bene nell'altro mondo. È facile confondersi, tra bambini e bambine.»

«Ora passo a un'altra persona, che sta venendo da me in spirito» proseguì la medium. «Sì, è un uomo. Mi sta dicendo molto chiaramente che in questa sala c'è qualcuno che non gli ha perdonato quanto ha fatto. Ecco cosa dice. Gli dispiace per quel che ha fatto. Supplica la persona di questo mondo di perdonarlo. Non è troppo tardi per il perdono, non ancora.»

Guardò le file di sedie. In fondo alla seconda fila si era alzata una donna. «Potrebbe essere per me» disse, con voce incerta. «Forse... potrebbe essere per me.»

La medium si girò a guardarla. «Credo di sì, cara. Sì, credo che sia per te.» Fece una pausa. «Hai il perdono nel cuore? Posso dire a questa persona che ora è fatta di spirito che le concedi il tuo perdono? Glielo posso dire?»

La donna che si era alzata in piedi si lasciò cadere sulla sedia. Si portò le mani al viso, coprendosi gli occhi, e iniziò a singhiozzare. Una donna dietro di lei si chinò a confortarla.

La medium non disse nulla. Quando si spensero i singhiozzi, tornò a sedersi, fissando il soffitto e rimase in quella posizione per un buon quarto d'ora. Poi si alzò in piedi e passò in rassegna la sala, fermandosi con lo sguardo sull'uomo dietro a Grace.

«Sta arrivando qualcuno per te» disse la medium.

«C'è qualcuno. Sì. Tua moglie. È con me. È con te. Percepisci la sua presenza?»

Isabel non voleva voltarsi a fissarlo, ma lo fece, seppure con discrezione. L'uomo teneva gli occhi dritti sulla medium; ascoltava attentamente. Alla sua domanda, annuì.

«Bene» disse lei. «La ricevo chiara, adesso. Dice che è ancora con te. Dice...» Si interruppe, aggrottando la fronte. «È in pena per te. È preoccupata perché c'è qualcuno che sta cercando di conoscerti meglio. Teme che non sia la persona giusta per te. Ecco cosa dice.»

Il messaggio fece il suo effetto sui presenti, che iniziarono a mormorare. Uno o due si girarono a guardare il destinatario del messaggio. Altri continuarono a fissare la medium. Isabel sbirciò con la coda dell'occhio Grace, che teneva gli occhi bassi e la schiena un po' ingobbita, attendendo che l'alone d'imbarazzo che la circondava passasse.

Non successe molto altro. Il mondo degli spiriti, momentaneamente pungolato dalla medium, doveva essere ormai esausto e dopo qualche minuto la donna dichiarò che il contatto con l'aldilà si era interrotto. Era il momento del tè e si riunirono tutti in una stanza arredata a colori vivaci accanto alla biblioteca. C'erano vassoi di biscotti e tazze di tè forte e caldo.

«Molto interessante» sussurrò Isabel a Grace. «La ringrazio.»

Grace annuì. Aveva l'aria preoccupata e non disse nulla, porgendo a Isabel una tazza di tè e un biscotto. Isabel si guardò intorno. Vide la medium in piedi all'altro capo della stanza. Sorseggiava la bevanda mentre parlava con l'uomo che l'aveva presentata all'uditorio, quello con il vestito scuro. Mentre parlava, però, Isabel la vide muovere lo sguardo in giro per la sala, come se cercasse qualcuno. I suoi occhi si posarono sull'uomo che in precedenza era seduto dietro a Isabel, quello che aveva ricevuto il messaggio dalla moglie. Lei osservò l'espressione della medium, gli occhi, in particolare. Le fu tutto chiarissimo, come lo sarebbe stato a qualsiasi donna, si disse. Non c'erano dubbi.

15

«Com'è?» chiese Ian. «So che sembra una domanda un po' naif, da sempliciotto addirittura. Ma com'è fare la filosofa?»

Isabel guardò fuori dalla finestra. Era metà mattina e sedevano nello studio di lei, con l'aroma del caffè appena fatto nell'aria. All'esterno, le erbacce cominciavano a far notare sempre più insistentemente la loro presenza agli angoli del prato. Aveva bisogno di diverse ore, si disse, sapendo che non sarebbe mai riuscita a trovarle, per sarchiare e rastrellare. «Bisogna coltivare il giardino» aveva detto Voltaire. Stava lì, secondo lui, la vera felicità, non nel filosofare. Pensò per un momento alla giustapposizione di filosofia e vita quotidiana: lo zen e l'arte della manutenzione della motocicletta era stata una bella trovata alla sua epoca, ma ce ne potevano essere di nuove e altrettanto sorprendenti. «Voltaire e la guida all'estirpazione delle erbacce» mormorò

«Voltaire e cosa...?» chiese Ian.

«Riflettevo ad alta voce» rispose lei. «Ma per rispondere alla tua domanda: più o meno è come ogni altra attività. Ci si porta dietro una specie di deformazione professionale, immagino, proprio come i dottori... o gli psicologi, suppongo. Tu vedi il mondo da un'ottica particolare, no? Da quella di uno psicologo.»

Ian seguì lo sguardo di Isabel, rivolto al giardino. «In

un certo senso» rispose, con tono dubitativo. «Ma fare la filosofa dev'essere piuttosto diverso dalle altre professioni. Probabilmente tu pensi sempre. Passerai il tempo a interrogarti sul significato delle cose. Vivi in un mondo più elevato di quello di noialtri poveri mortali.»

Isabel si strappò alle riflessioni sul prato. Stava pensando alle erbacce. Gramigna e affini, con i relativi rimedi, erano parte della vita quotidiana, e proprio le cose di tutti i giorni erano l'oggetto della filosofia. Non possiamo evitare di trovarci immersi nella vita quotidiana, e i modi in cui reagiamo – i nostri usi, le nostre convinzioni – formano la base della filosofia morale. Queste pratiche d'etica spicciola Hume le aveva definite «una sorta di moralità in minore». Ci aveva proprio azzeccato, secondo lei.

«È un mondo più prosaico e quotidiano di quanto si possa immaginare» iniziò a dire. Poi si interruppe. Correva il rischio di semplificare troppo. Una disquisizione sulle convenzioni sociali avrebbe potuto dare un'idea sbagliata a Ian. Non era in questione il modo in cui si beve il caffè, mentre il fatto di bere il caffè insieme a qualcuno poteva essere argomento di grande importanza. Non era il caso di dirglielo in modo così semplicistico, però: a un'affermazione del genere si poteva arrivare solo dopo aver stabilito delle basi comuni.

Ian annuì. «Capisco. Be', sono un po' deluso. Pensavo che passassi tutto il tempo a camminare avanti e indietro cercando di scoprire la natura della realtà... a chiederti magari se il mondo esterno è abbastanza reale da poter uscire a farci una passeggiata. Cose del genere.»

Isabel si mise a ridere. «Mi spiace smentire convinzioni così divertenti. No. Ma devo ammettere che la mia vocazione – se così la si può chiamare – a volte mi rende la vita un po' difficile.»

La cosa lo incuriosì. «E come?»

«Be', è una questione di doveri» spiegò lei. Sospirò, pensando ai suoi demoni personali. Il problema erano gli obblighi morali, la sua croce, il letto di chiodi su cui si doveva sdraiare... anche metaforicamente era un argomento scomodo.

«Mi ritrovo a riflettere molto a lungo sul da farsi, in ogni situazione» proseguì. «A volte diventa un po' pesante. Anzi, qualche volta mi sento come quei poveretti che soffrono di OCD, la sindrome ossessivo-compulsiva: da psicologo ovviamente la conosci bene. Ecco, a volte mi sento come quelli che devono controllare dieci volte di aver spento il forno, o che continuano a lavarsi le mani per liberarsi dei germi. Credo di riuscire a capire come si sentono.»

«Adesso sei nel mio campo» intervenne Ian. «Ne ho avuti diversi, di pazienti che soffrivano di OCD. Una mia conoscente aveva l'ossessione delle maniglie. Le copriva con un fazzoletto per riuscire a girarle. A volte, la cosa si faceva complicata. I bagni pubblici, poi, erano un vero calvario. Doveva usare i piedi per azionare lo scarico. La levetta la premeva stando in equilibrio precario.»

Isabel ci pensò su un momento. «Ingegnosa» concluse sorridendo. «Immagina che risultati si avrebbero prendendo un campione da una di quelle maniglie e mettendolo in coltura. Chissà che roba.»

«Può darsi» rispose Ian. «Eppure è indispensabile esporsi ai germi, non credi? A forza di igiene e di cibi pastorizzati, che risultato abbiamo? Allergie a profusione. Tra poco l'asma ce l'avranno tutti.» Si interruppe un istante. «Tornando alla filosofia. Questi articoli, sono proposte per la tua rivista?»

Isabel diede un'occhiata alla pila di manoscritti e si sentì rabbrividire. Il senso di colpa a volte si può misurare fisicamente, si disse. Un bevitore può misurarlo a litri o a galloni, un goloso con i centimetri del girovita; e la direttrice di una rivista in base all'altezza della pila di manoscritti che reclamano la sua attenzione. Aveva sotto il naso quasi mezzo metro di sensi di colpa.

«Dovrei leggerli» rispose. «E lo farò. Ma come disse sant'Agostino della castità, per adesso no.»

«Non ti va?»

«Sì e no. In un certo senso non ne ho voglia, ma d'altro canto vorrei finirli e levarmeli di torno.» Tornò a guardare la pila. «Sono quasi tutti per un numero speciale. Dedicato all'amicizia.»

Ian fece una faccia perplessa. «E cosa c'entra la filosofia con l'amicizia?»

«Tantissimo» rispose Isabel. «È uno dei grandi temi filosofici. Qual è la natura dell'amicizia? Come dobbiamo comportarci nei confronti degli amici? Possiamo fare preferenze nei loro confronti, rispetto a coloro che non ci stanno particolarmente a cuore?»

«Certo che sì» disse Ian. «Non è a questo che servono gli amici?»

Isabel scosse il capo. Si alzò dalla sedia e andò alla finestra a guardare il prato, ignorando volutamente le erbacce. La loro capacità di suscitare sensi di colpa non aveva eguali.

«Ci sono filosofi che sostengono che non si dovrebbero assolutamente fare preferenze» rispose. «Secondo loro abbiamo il dovere morale di trattare gli altri con equità. Non dovremmo fare discriminazioni tra le persone che richiedono il nostro aiuto, distribuendolo invece in maniera assolutamente equa.»

«Ma è inumano!» protestò Ian.

«Sono d'accordo. Però non è tanto facile sostenere la

tesi che le richieste degli amici vadano preferite alle altre. Io credo di sì, ma ci sono validi argomenti anche contro.»

«I filosofi tendono ad avere molti amici?» chiese lui. «Visto come la pensano...»

«Dipende. Ci vogliono le qualità che permettono alle amicizie di fiorire» rispose Isabel. «Una persona virtuosa avrà veri amici. Una persona dal carattere minato dal vizio, no.»

Si girò a guardarlo. «Possiamo tornare sull'argomento un'altra volta, Ian, se vuoi. Ma temo che non sia questo il motivo per cui ti ho invitato per il caffè. C'è dell'altro...»

«Mi sa che indovino» la interruppe lui. «Hai pensato a quel che ti ho detto.»

«Sì. Ci ho pensato. E mi sono anche data da fare.»

Lui la guardò con aria preoccupata. «Non intendevo coinvolgerti. Non pensavo che...»

«Ma certo. Forse ricordi che prima parlavo di obblighi. Una delle conseguenze dell'essere filosofi è che ci si fa coinvolgere. Ci si chiede se è nostro dovere fare qualcosa e se la risposta è sì, si agisce.» Si interruppe per un momento. Forse doveva stare attenta a non sottoporre Ian a stress eccessivo. Poteva nuocergli, così come le emozioni violente. «Ho rintracciato la famiglia del donatore. Non è stato difficile. Ci saresti riuscito da solo, volendo.»

«Non ho avuto il coraggio» rispose lui. «Volevo ringraziarli, eppure...»

«E ho trovato quell'uomo. Quello con la fronte alta e gli occhi infossati. Te l'ho rintracciato.»

Ian rimase in silenzio. Fissava Isabel, muto, inchiodato sulla sedia. Alla fine si schiarì la voce. «Be', non so se era quello che volevo. Immagino, però... Be', direi che se non cerco di porre rimedio a questa situazione, mi brucio le ultime speranze, no? Ti ho già detto che pensavo che mi avrebbe fatto morire, questa spaventosa tristezza, o come la si voglia chiamare. Penso che impedirà al cuore nuovo di... di attecchire, diciamo così.» La guardò, e lei gli lesse l'angoscia negli occhi. «Forse è meglio sapere» proseguì Ian. «Non credi?»

«Forse. Però ricordati, ci sono cose che probabilmente avremmo preferito non sapere, quando scopriamo come sono in realtà. Potrebbe essere questo il caso.»

Ian pareva confuso. «Non capisco come...»

Isabel sollevò una mano per interromperlo. «Vedi, il problema è che quell'uomo – quello che assomiglia così tanto a quello delle tue... visioni – convive con la madre del ragazzo che ti ha donato il cuore.»

L'uomo aggrottò un po' la fronte, registrando l'informazione. «Com'è morto? L'hai scoperto?»

«Investito da un pirata della strada, vicino a casa sua. Caso ancora irrisolto. È morto in ospedale poco dopo l'incidente. Quando l'hanno trovato era privo di conoscenza, quindi non è stato in grado di dire nulla sull'accaduto. Però...»

«Avrebbe potuto essere cosciente subito dopo essere stato investito, e il pirata della strada avrebbe potuto chinarsi su di lui per guardarlo in faccia.»

«Proprio così» concluse Isabel.

Per qualche minuto nessuno dei due proferì parola. Isabel si girò di nuovo a guardare il giardino, dimentica delle erbacce, pensando solo al dilemma che aveva di fronte e che non sembrava presentare una via d'uscita indolore. A meno che non passasse la mano a Ian, che pure non aveva fatto niente per giungere a quel punto, se non raccontarle l'accaduto.

Fu lui a rompere il silenzio. «La madre lo sa?»

«Cosa?» Isabel non gli aveva detto che non era riuscita a raccontarle della sua visione. «Non le ho parlato di te. Non potevo. C'era anche lui.»

«No» rispose Ian. «Non intendevo questo. Volevo dire, la madre del donatore sa che quell'uomo potrebbe essere il pirata della strada?»

La domanda colse di sorpresa Isabel. Non ci aveva pensato, ma era plausibile. Aveva dato per scontato che non lo sapesse, ma in caso contrario la questione avrebbe assunto contorni molto diversi.

«Se lo sa, vuol dire che vive sotto lo stesso tetto con l'assassino di suo figlio» rispose Isabel. «Una madre si comporterebbe così, secondo te?»

Ian ci pensò un momento prima di replicare. «Sì. Molte lo farebbero. Nei casi di violenza domestica, spesso le donne proteggono gli uomini. Il partner fa del male a uno dei figli. La donna non dice niente, per paura, oppure per debolezza. O forse per un malinteso senso di fedeltà. Non è così raro.»

Isabel ripensò alla conversazione con Rose Macleod. Si ricordò l'interesse immediato che aveva suscitato in lei quando aveva millantato di possedere informazioni sull'incidente. Non era una finta, si disse. E non si era sbagliata neanche su di lui: l'ansia, evidente nella tensione che gli aveva attraversato il corpo, quando Isabel aveva affrontato l'argomento. Svanita subito, non appena la descrizione del pirata si era rivelata così smaccatamente diversa da lui.

«Sono sicura che la madre non lo sa» rispose. «Ne sono convinta.»

«Va bene. È all'oscuro di tutto. E adesso?»

Isabel si mise a ridere. «Già. Che fare?»

«Possiamo rivolgerci alla polizia» propose piano Ian. «Rimettiamo tutto nelle loro mani.»

«E così non si approderà a nulla» ribatté Isabel. «La polizia non si sognerà nemmeno di accusarlo sulla base di quello che con ogni probabilità riterrebbero un volo della fantasia.»

Vedendo che Ian concordava, proseguì: «Il punto, adesso, è se è nostro dovere andare a dire a quella donna che il suo convivente potrebbe essere il pirata che le ha investito il figlio. Attenzione, è solo una possibilità, oltretutto. La nostra tesi in fondo si basa sul presupposto ipotetico che la tua visione c'entri qualcosa. Non è proprio una teoria inoppugnabile.

«Ammettiamo però di credere che questa informazione sia rilevante. Diciamo che la madre ci dà retta e ci crede anche lei, pur in assenza di prove. Cosa avremo ottenuto? Nient'altro che insinuare in lei il dubbio. Un tarlo che le rovinerà la vita. Potremmo addirittura distruggere la sua relazione con quell'uomo. Non avrebbe perso solo il figlio, ma anche il compagno».

Ian riprese la parola con tono rassegnato. Sembrava affaticato. «E quindi ce ne stiamo zitti.»

«Non possiamo» rispose lei. Notando la stanchezza di Ian, non spiegò i motivi della sua affermazione, preoccupata di non affaticarlo ulteriormente. Ma c'entravano la giustizia, i nostri doveri verso la società nel suo complesso: non si poteva consentire che i guidatori in stato di ebbrezza – sempre che l'uomo fosse davvero ubriaco – restassero impuniti quando provocavano incidenti mortali. Era importantissimo, e prevaleva su qualsiasi considerazione a proposito dei sentimenti di una povera sfortunata. Decisione difficile, ma a Isabel parve di essere arrivata al dunque. Eppure, pensò, quanto sarebbe stato più facile lasciar perdere. Affari degli altri. Siamo tutti estranei l'uno per l'altro. Era una idea che a lei ripugnava; si ricordò di John Donne, autore di un verso indimenticabile ed evocativo sulle isole e il senso di comunità. «Se una sola zolla viene portata via dal mare, qualcosa all'Europa viene a mancare» aveva scritto il poeta. Sì. Era proprio così.

Erano obbligati ad agire sulla base del dovere morale e dello spirito comunitario, aveva concluso, senza avere però ancora la benché minima idea della forma da dare a quell'azione. Era una condizione curiosa, un po' sconcertante, sapere di dover agire, ma non sapere in che modo. Come dopo una dichiarazione di guerra, prima che cominciassero a fischiare bombe e pallottole.

Nel negozio di Cat, dove Isabel si stava dirigendo, Eddie stava impilando sul bancone scatolette di pasta d'acciughe Patum Peperium accanto a un espositore di cioccolato equosolidale. Era un momento di calma, con un solo cliente nel negozio, un uomo ben vestito che osservava le focacce di farina d'avena, incontrando difficoltà inaudite a scegliere tra le due marche. Eddie, che lo osservava, incrociò lo sguardo di Cat e fece spallucce. La ragazza sorrise e andò a consigliare il cliente.

«Quella a sinistra è più salata dell'altra» spiegò. «Per il resto, secondo me hanno praticamente lo stesso sapore.»

L'uomo si girò a guardarla, ansioso. «In realtà sto cercando una focaccia triangolare. È così che dovrebbero essere, sa. Triangolari, con un lato un po' arrotondato. È quella la forma della *oatcake*.»

Cat prese in mano una delle confezioni per studiarla. «Rotonde. E anche queste altre. Mi dispiace. Pare che ne abbiamo solo di tonde.»

«Eppure le fanno ancora» disse il cliente, stropicciandosi i polsini della costosa giacca di cashmere. «Potrebbe farle arrivare, non crede?»

«Sì» rispose Cat. «Potremmo trovarne di triangolari. Ma non ce le hanno mai chieste...»

L'uomo sospirò. «Probabilmente penserà che è una cosa ridicola. Ma sono rimaste così poche cose autentiche al mondo. I prodotti locali. I particolari, la forma delle focacce, sono importantissimi. È bello circondarsi di cose familiari come queste, mentre c'è tanta gente che vuole uniformare tutto. Vogliono portarci via le nostre tradizioni scozzesi.»

Il tono amaro con cui lo disse colpì Cat. Era vero, pensò: un paese piccolo come la Scozia doveva sforzarsi di mantenere il controllo sulla propria vita quotidiana. E capiva quanto poteva essere sconvolgente, se già ci si sentiva vulnerabili, vedersi sottrarre le proprie consuetudini.

«Ci hanno preso tante delle nostre banche» proseguì il cliente. «Guardi che fine hanno fatto. Ci hanno portato via i reggimenti scozzesi dell'esercito. Vogliono toglierci tutti gli elementi distintivi.»

Cat sorrise. «Però ci hanno restituito il parlamento. Almeno quello, no?»

L'uomo ci pensò su. «Forse» concesse. «Ma cosa vuole che facciano, le camere? Una legge sulle focacce triangolari?»

Si mise a ridere, e Cat si unì alla risata con un certo sollievo. Le era parso uno squilibrato, ma quelli erano tipi incapaci di autoironia.

«Cercherò di procurarle le focacce triangolari» lo rassicurò Cat. «Mi dia un paio di settimane. Chiedo ai fornitori.»

Il cliente la ringraziò e uscì, e Cat tornò al banco. Eddie, dopo aver sistemato la pila di Patum Peperium in perfetto equilibrio, si girò. Vide Isabel fuori dalla porta e avvertì Cat.

«C'è tua zia. Qui fuori. Eccola che entra.»

Cat la salutò. «Ti sei persa un meraviglioso dibattito: focacce d'avena e identità culturale» le disse. «Ti sarebbe piaciuto moltissimo.»

Isabel annuì vagamente. Non voleva parlare delle focacce d'avena, ma sedersi tranquilla con una tazza di caffè e uno dei giornali esteri di Cat, magari «Le Monde». Che i giornali stranieri fossero vecchi non le dava mai fastidio. Mentre lo «Scotsman» del giorno prima sapeva subito di stantio, quelli in un'altra lingua rimanevano interessanti. «Le Monde» l'aveva già preso qualcun altro, ma c'era una copia del «Corriere della Sera» di tre giorni prima. Le parve perfetto. Lo prese e andò a sedersi.

«Ti dispiace, Cat?» chiese alla nipote. «A volte si ha voglia di parlare. Altre di riflettere o di leggere questo» aggiunse, agitando il giornale.

Cat capì e andò nel retro a dedicarsi alle sue faccende, mentre Eddie preparava il caffè a Isabel. Quando fu pronto lo portò al tavolo, posandoglielo davanti. Isabel alzò gli occhi dal giornale e sorrise al ragazzo con fare incoraggiante. Durante la settimana in cui aveva gestito la gastronomia, tra di loro si era creata un'amicizia, fatta più di gesti e sorrisi che di un effettivo scambio di idee e confidenze. Alla fine di quel periodo, Isabel sentiva di conoscerlo molto meglio, anche se Eddie non le aveva mai parlato di sé. Una volta gli aveva chiesto dove abitava, e lui aveva risposto che stava in zona sud, equivalente a circa metà di Edimburgo, senza fornire altri indizi. Abitava per conto suo o stava con i suoi? A casa, era stata la risposta, evitando di aggiungere alcunché sull'identità degli altri inquilini. Isabel aveva lasciato perdere: bisognava rispettare la privacy altrui. Ad alcuni non piaceva far sapere come vivevano... perché se ne vergognavano, supponeva Isabel. Per un ragazzo dell'età di Eddie non era poi così insolito vivere con i genitori, ma poteva darsi che lui pensasse di fare brutta figura ammettendo di non essere mai uscito di casa. Anch'io vivo in casa dei miei, considerò Isabel tutt'a un tratto. Abito nella casa in cui la mia santa madre americana mi portò una volta uscita dal reparto maternità del Simpson Memorial. Non ho fatto molta strada.

Avrebbe scoperto di più su Eddie in futuro, se lo sentiva. E allora forse sarebbe riuscita ad aiutarlo in qualche modo. Se voleva frequentare un corso in qualche università, al Telford College per esempio, avrebbe potuto pagarglielo, se avesse accettato. Finanziava già due studenti dell'università di Edimburgo, grazie al suo fondo privato di beneficenza. Ovviamente gli studenti non lo sapevano: pensavano che i fondi venissero da Simon Macintosh, il suo avvocato. Era vero, nella misura in cui era lui ad amministrarli, ma i soldi in realtà uscivano dalle tasche di Isabel.

Ringraziò Eddie del caffè e lui le fece un gran sorriso. «Le ha già telefonato l'italiano?»

Isabel lo guardò smarrita. «L'italiano?»

«Tommaso. È venuto qui ieri. Ha chiesto a Cat il suo numero.»

Isabel abbassò lo sguardo sul caffè per un istante. «No. Non ha chiamato.»

Stranamente, si mise in agitazione. Si era offerta di fargli da guida in città – tutto lì – ma l'idea che lui la volesse contattare le fece un effetto inatteso.

Eddie si chinò verso di lei. «Cat non gli sta dando corda» sussurrò. «Non credo che gli interessi granché.»

Isabel inarcò un sopracciglio. «Forse non vuole dargli l'impressione di considerarlo qualcosa di più di un amico.»

«Mi dispiace per lui. È venuto a trovarla fin dall'Italia, ed ecco l'accoglienza.»

Isabel sorrise. «Mi dà l'idea di saper badare a se stesso. Non mi sembra proprio uno sprovveduto.»

Eddie annuì. «Può darsi.»

Il ragazzo si allontanò. Era la conversazione più lunga che Isabel avesse mai intrattenuto con lui, e la sorprese che avesse colto l'atteggiamento di Cat verso Tommaso. Eddie prestava attenzione a certe cose, chi l'avrebbe mai detto. Capì che forse aveva sottovalutato di gran lunga le capacità d'osservazione del giovane. E anche la sua sensibilità. Ignoriamo spesso le persone silenziose, si disse, i timidi osservatori, quelli che si tengono in disparte: ci dimentichiamo che vedono tutto.

Tornò a sfogliare il «Corriere», ma aveva difficoltà a concentrarsi. Pensava a Tommaso, e alla sua eventuale telefonata. Cosa avrebbe voluto vedere della città? Sì, c'erano i musei e le gallerie, i consueti angoli legati alla storia scozzese, ma non le sembrava che potessero interessargli. Forse voleva uscire a cena da qualche parte. Poteva organizzare tutto lei. Cat non sarebbe andata, presumibilmente, e sarebbero stati solo loro due. Cosa mangiava Tommaso? Non certo verdure, si disse. Gli italiani non erano vegetariani. Bevevano, andavano a donne, cantavano: salve, popolo d'eroi!

Tornò al giornale e affrontò una recensione di un libro dedicato alle fotografie censurate di Mussolini. Il duce, a quanto pareva, si preoccupava molto della propria immagine. Del resto, pensò lei, era un dittatore italiano. Se non era attento alle apparenze lui, chi altro? C'erano alcuni esempi sul giornale: Mussolini a cavallo, con l'aria ridicola e il portamento di un sacco di patate... o di un pacco di pasta. Mussolini circondato da un gruppetto di suore che si agitavano come passerotti per l'emozione. Il duce non amava farsi ritrarre nelle foto insieme a religiosi di qualsiasi genere. Perché mai?, si chiese Isabel. Sicuramente erano i sensi di colpa. Mussolini in tenuta da aviatore, giubbotto bianco e casco dello stesso colore, nell'abitacolo aperto di un aereo. Faceva finta di essere in grado di pilotare, mentre a guidare l'aereo era un vero pilota accucciato sul pavimento. Quando era entrato nella gabbia dei leoni allo zoo di Roma, dimostrazione pubblica di coraggio, gli animali avevano ricevuto un sedativo: la tozza figura del dittatore non poteva suscitare in loro alcun appetito! Isabel sorrise leggendo la recensione. Quant'erano distanti da noi quei tempi. Per alcuni era storia antica, ma in realtà c'era solo una generazione di distanza: l'Italia non era ancora popolata di politici volgari e vanitosi, spesso colti in flagrante mentre infrangevano la legge? Eppure, come si faceva a non amare l'Italia e gli italiani, così umani, artefici di città tanto belle, che sapevano essere amici veri e leali. Se si fosse potuta scegliere la nazionalità, nell'anticamera della nascita, non si sarebbe stati tentati di diventare italiani? Sì, pensò Isabel, anche se poteva darsi che i posti disponibili finissero prima del suo turno. Spiacenti, deve scegliere qualcos'altro. Quale sarebbe stata l'identità più difficile da portare?, si chiese. Probabilmente quella di una persona fuori posto, appartenente a un'oscura minoranza di una lontana repubblica, che si trovava schierata contro una nazione intera.

Isabel era così assorta da queste considerazioni da non accorgersi che gli altri tavoli della gastronomia si erano riempiti. Quando abbassò il giornale per prendere la tazza di caffè che, trascurata, era ormai fredda, vide che il negozio era pieno zeppo. Cat al bancone serviva i clienti, mentre dietro di lei Eddie stava chino sulla macchina del caffè. Guardò i nuovi venuti e immediatamente s'irrigidì. Due tavolini più in là, accanto al grande cesto delle baguette, c'era Rose Macleod in compagnia del suo compagno Graeme. Eddie aveva servito loro il caffè, e i due chiacchieravano. Graeme aveva in mano un elenco e lo mostrava a Rose, che annuiva.

Isabel non voleva vederli. Le bruciava ancora l'incontro precedente, così imbarazzante, e pensava che neanche loro dovevano essere particolarmente ansiosi di imbattersi in lei. Abbassò rapidamente lo sguardo sul giornale. Se restava lì seduta, concentrata sulle notizie provenienti dall'Italia, poteva darsi che se ne andassero senza notarla. E se Cat fosse venuta a fare quattro chiacchiere, oppure Eddie a rabboccarle il caffè? Avrebbe attratto l'attenzione.

Cercò di concentrarsi sul quotidiano, senza successo. Dopo aver riletto tre volte la stessa frase, il cui significato le si confondeva in mente, diede un'occhiata all'altro tavolo, incontrando in pieno lo sguardo di Rose. Adesso non poteva più far finta di niente, e si costrinse a un sorriso di agnizione. L'altra donna era chiaramente stupefatta dall'incontro. Sorrise anche lei, esitante. Alzò la mano in segno di saluto, per poi fermarsi, quasi si chiedesse se stava facendo la cosa giusta.

Isabel riabbassò gli occhi sul giornale. Si sentiva più calma: si erano incontrati, in un certo qual modo si erano salutati, e poteva finire lì. Potevano andare ognuno per la propria strada. Eppure, se ne avesse avuto il coraggio sarebbe dovuta andare al loro tavolo, per dire a Rose che l'aveva fuorviata. Poi avrebbe potuto confessarle il vero motivo della sua prima visita. Avrebbe potuto raccontar loro delle esperienze fuori dal comune vissute da Ian, e lasciare che fosse la coppia a decidere il da farsi. E se proprio le restava ancora un dovere, avrebbe potuto consigliare a Ian di contattare la polizia per raccontare la sua versione. Fine della storia. Invece non si mosse, rimanendo invischiata in una situazione che la metteva sempre più a disagio sul piano morale.

Tornò a guardare la coppia. Graeme si era chinato in avanti e stava dicendo qualcosa a Rose, con rabbia. Lei ascoltava, scuotendo il capo. Graeme s'infervorò sempre di più. Lo vide poggiare un dito sul tavolo e muoverlo più volte avanti e indietro con pedante insistenza, come se stesse sottolineando qualcosa. Poi si girò in direzione di Isabel, che si ritrovò puntati contro due occhi carichi di malevolenza. Quello sguardo era quasi un'aggressione fisica, un'ondata di disprezzo e antipatia che attraversò la stanza fino a travolgerla.

L'uomo si alzò, prese il soprabito e si allontanò dal tavolino. Rose lo guardò andare via. Fece per alzarsi, ma si lasciò ricadere sulla sedia. Non appena Graeme uscì, prese la tazza di caffè che le stava davanti e andò al tavolo di Isabel.

«Posso?» chiese. «Le dispiace se mi siedo?» Posò la tazza accanto al «Corriere della Sera». «Si ricorda di me, vero? Rose Macleod. È venuta a casa mia.»

Isabel le indicò la sedia vuota. «Si accomodi, la prego. Ma certo che mi ricordo. Volevo dirle quanto mi dispiace...»

Rose tagliò corto. «La prego. Sono io che dovrei scusarmi dell'accaduto. Quando è venuta a trovarci, Graeme è stato piuttosto brusco. Non avrebbe dovuto parlarle così, mi ci sono arrabbiata.»

Isabel non se l'aspettava. «Aveva tutte le ragioni di avercela con me» rispose. «Ho fatto irruzione in casa vostra in quel modo per dirle una cosa, be', che non corrispondeva al vero.»

Rose aggrottò le sopracciglia. Isabel notò gli zigomi alti e i tratti delicati. Era ancora più bella di quel che le era parso quando l'aveva vista per la prima volta. Il suo viso aveva una delicatezza tutta particolare, forse per il dolore. Un volto addolorato, paradossalmente, ha un'espressione calma. Non attraversa complicazioni o cambiamenti, ma una sola emozione, costante.

«Non era vero?» chiese Rose.

Isabel fece un sospiro. «Non sono una medium. Era una grossa sciocchezza. Volevo dirle tutta un'altra cosa, poi mi sono fatta prendere dal panico e mi sono inventata quella storia ridicola.» S'interruppe. La rivelazione non era stata ben accolta.

«Allora, perché mi ha detto...» Rose non riuscì a proseguire. Le si dipinse sul volto il disappunto.

Isabel aveva preso una decisione: basta con le sciocchezze. Doveva tornare alla verità e alla razionalità e smetterla di flirtare con il paranormale. Che assurdità. «Devo raccontarle una storia piuttosto bizzarra. Non ci faccio una gran bella figura, temo, ma a mia discolpa credo di poter dire che ero partita carica di buone intenzioni.»

Rose la fissò. Il disappunto ora sembrava mutarsi in sfiducia. «Non saprei» cominciò a dire. Fece per alzarsi, ma Isabel allungò una mano per fermarla.

«Mi ascolti, la prego» insistette. «So che può sembrarle assurdo, ma mi stia ad ascoltare.»

Rose tornò a sedersi. «Va bene» disse freddamente. «Mi dica quel che ha da dire.»

«È iniziato tutto proprio qui» cominciò Isabel, indicando un tavolo vicino. «Mi occupavo del negozio mentre mia nipote era via. Mi sono ritrovata a parlare con un uomo che era venuto qui a pranzo, il quale mi ha raccontato di essersi sottoposto da poco a un trapianto di cuore.» Si fermò un istante, attendendo di vedere l'effetto che avrebbe avuto su Rose l'accenno al trapianto. Rimase impassibile.

«L'ho incontrato di nuovo. È una persona perfettamente raziocinante, con la testa sulle spalle, sana. È psicologo, pensi. Mi ha parlato degli effetti dell'operazione, uno dei quali piuttosto inatteso.»

Rose, che l'aveva ascoltata educatamente, fece spallucce. «Non vedo cosa abbia a che fare questa storia con mio figlio. Sinceramente, non so dove voglia andare a parare.»

Isabel la guardò sorpresa. «Ma era suo figlio, il donatore. L'uomo con cui ho parlato ha nel petto il suo cuore.»

Rose reagì immediatamente. «Credo che lei abbia commesso un errore di partenza. Non so perché pensi che la cosa abbia a che vedere con noi. Perché dice che è mio figlio il donatore? Di cosa diavolo sta parlando?»

Per un attimo Isabel rimase così confusa da non riuscire ad aprir bocca. Poi, mentre Rose la guardava con perplessità mista a una leggera irritazione, proseguì. «Suo figlio era il donatore del cuore. L'hanno trapiantato a Ian, portandolo fino a Glasgow.»

«Mio figlio non ha donato proprio niente» rispose Rose infervorandosi. «Credo che lei abbia preso una bella cantonata, signorina... Dalhousie, giusto?»

Confusa, Isabel non riuscì a replicare che con un misero: «È sicura?»

«Certo che sono sicura» disse Rose, con l'irritazione sempre più a fior di pelle. «Se mio figlio avesse donato il cuore, ce l'avrebbero chiesto, non crede? Ma a noi non ha detto niente nessuno. Nessuno...» Faticò a pronunciare il resto della frase. «Nessuno gli ha tolto il cuore.»

Per qualche minuto nessuna delle due parlò. Rose

guardava Isabel con aria di rimprovero, e la filosofa tenne gli occhi sul tavolo.

«Evidentemente ho commesso un errore marchiano» ammise dopo un po', con voce rotta e malferma. «Non sarei dovuta saltare alle conclusioni. Mi spiace davvero di averle causato tanto disturbo. Non... non avevo idea.»

Rose sospirò. «Non è successo niente di male» concesse. Ma non intendeva finirla lì. «Mi dispiace, ma deve chiarire le cose, al suo amico. Noi non c'entriamo niente con la sua operazione. Niente. Non ci riguarda minimamente.»

Isabel annuì affranta. «Mi dispiace tantissimo. Mi sono intromessa senza neanche controllare su quali basi agivo.»

«Mettiamoci una pietra sopra» disse Rose. «C'è stato un qui pro quo, e basta.»

Non avevano altro da dirsi. Senza parlare, Rose si alzò, salutò Isabel col capo e uscì dalla gastronomia. Non si girò. Non si disturbò a guardarla. Isabel, piegando il giornale, riportò la tazza al bancone.

«Di cosa si trattava?» chiese Cat, indicando con un cenno la porta. «Chi era quella donna?»

«C'è stato un malinteso» rispose Isabel. «Per colpa mia. Della mia inclinazione a capire le cose alla rovescia. Faccio delle supposizioni. Interferisco. Si trattava di questo.»

«Non starai esagerando?» disse Cat. Era abituata all'autocritica di Isabel e ai suoi frequenti dilemmi morali con se stessa... e con chiunque fosse a portata d'orecchio. Ma stavolta l'autoflagellazione nella voce della zia era maggiore del solito.

«Anzi. Devo smetterla con questa ridicola convinzione: siccome qualcuno mi racconta qualcosa sono costretta a lanciarmi alla carica. Basta. Mai più.»

«Davvero?» chiese Cat. «Credi davvero di riuscirci?»
Isabel esitò prima di rispondere, ma solo per un istante. «No. Non credo. Ma ci proverò.»
Cat scoppiò a ridere, mentre Eddie, che aveva seguito la conversazione, alzò gli occhi e incrociò lo sguardo con quello di Isabel.
«Lei va benissimo così com'è» mormorò. «Non cambi.»
Ma Isabel non lo sentì.

16

La telefonata di Tommaso l'aveva presa Grace, e quando Isabel tornò a casa trovò il messaggio sulla scrivania. Era scritto su uno dei cartoncini che alla governante piaceva usare per le comunicazioni, uno di quelli che Isabel utilizzava per archiviare i manoscritti. La infastidiva che Grace li usasse per i messaggi – per i quali sarebbe bastato un pezzetto di carta qualsiasi – ma aveva deciso di non dirle niente. Grace era sensibile, e poteva prendere come una critica anche il suggerimento più modesto.

«Ha telefonato un uomo molto interessante», aveva scritto. «Tom qualcosa. Straniero. Richiama alle tre. A me, di telefonate del genere non ne arrivano mai. Stia attenta, però.»

Grace era ancora in casa, stava lavorando di sopra. Quando sentì entrare Isabel scese e fece capolino alla porta dello studio.

«Ha visto il messaggio?»

Isabel annuì. «Grazie. Si chiama Tommaso. È italiano.»

Grace sorrise. «Mi è piaciuta la voce.»

«Sì, è molto...» Isabel ci pensò su un momento. «Be', direi che c'è una parola sola. Sexy.»

«In bocca al lupo» disse Grace.

Isabel sorrise. «Be'» ribatté esitando, «può darsi. Non so.»

Grace entrò. «Non faccia la disfattista. Non vedo il motivo per cui non dovrebbe trovare qualcuno. È una bellissima donna. È gentile. Piace agli uomini. Eh, sì. Sono felici di parlare con lei, me ne sono accorta.»

«Parlare, forse» rispose Isabel. «Ma finisce lì. Li spavento, mi sa. Agli uomini non piacciono le donne che pensano troppo, preferiscono essere loro a pensare.»

Grace ci rifletté un momento. «Non sono sicura che abbia ragione. Alcuni la pensano così, ma certo non tutti. Prenda Jamie. Già, lui. Bacia la terra dove lei cammina. Lo si capisce a un chilometro di distanza.» Si fermò, poi aggiunse: «Peccato che sia ancora un bambino».

Isabel andò alla finestra a guardare in giardino. Si sentiva un po' in imbarazzo per la piega che stava prendendo il discorso. Poteva parlare di uomini in generale, ma non di Jamie. Era un terreno minato, troppo pericoloso. «E lei, Grace? Ci sono degli uomini nella sua vita?»

Non aveva mai parlato così a Grace prima d'allora, e non sapeva bene quale reazione avrebbe avuto la governante. Si voltò e capì di non averla offesa. Decise di scendere nel dettaglio. «L'altro giorno mi ha detto di aver conosciuto qualcuno alle riunioni degli spiritisti. Si ricorda?»

Grace prese una matita dalla scrivania e si mise con nonchalance a esaminarne la punta. «Ah, sì? Be' forse.»

«Già. Mi ha parlato di lui e credo di averlo visto quando sono venuta alla riunione. Quello seduto dietro di noi – un bell'uomo – che aveva perso la moglie. Era lui, vero?»

Grace si interessò ancor di più alla matita. «Forse.»

«Ah» esclamò Isabel. «Be', devo dire che mi è parso piuttosto simpatico. Ed era evidente che lei gli piace. Si capiva.»

«È un buon conversatore» rispose Grace. «Uno di

quegli uomini che ti sanno ascoltare. È una qualità che mi è sempre piaciuta. È un gentiluomo.»

«Sì. Un gentiluomo. È una bella parola, vero? Eppure al giorno d'oggi si vergognano tutti a usarla. Forse la considerano snob, non crede? Sarà per quello?»

Grace rimise la matita sulla scrivania. «Può darsi. Ma io non la penso così. Ci sono gentiluomini di ogni tipo. Non importa da dove vengono e chi sono. Sono gentiluomini, e basta. Ci si può fidare di loro.»

E poi ci sono quelli come John Liamor, si disse Isabel. E che non è un gentiluomo lo capisci subito, o almeno dovresti. Lei l'aveva capito, certo, ma ci era passata sopra perché uno degli effetti che ti provocano, quelli che gentiluomini non sono, è di far passare in secondo piano il raziocinio. Non te ne importa niente. Non voleva pensarci adesso, perché si rendeva conto che il tempo stava sanando le ferite e John Liamor sembrava diventare un ricordo sempre più lontano. Le piaceva la sensazione dell'oblio, il lento processo che lo aveva trasformato in una persona qualsiasi, a cui lei poteva pensare, se le veniva in mente, senza provare una fitta di nostalgia e desiderio.

Guardò Grace. Se la conversazione fosse diventata troppo intima, la governante si sarebbe semplicemente ricordata di avere qualcosa da fare e sarebbe uscita, lasciando a metà il discorso. A volte la piantava in asso così, durante una discussione, quando infilava un vicolo cieco da cui non riusciva a tirarsi fuori. Allora il ferro da stiro la reclamava improvvisamente, oppure aveva qualche mestiere al piano di sopra. Adesso però non dava segno di voler tagliare corto, e Isabel proseguì.

«Certo, forse lei non è l'unica a cui piace quell'uomo» riprese. Cercò di farla passare come un'osservazione casuale, ma le uscì un tono un po' acido. Grace se ne accorse e alzò gli occhi di scatto.

«Perché dice così?»

Isabel deglutì rumorosamente. Come si faceva a dirlo? «Penso che la medium abbia mostrato un certo interesse. Di sicuro gli teneva gli occhi addosso. E al momento del tè...»

«Osserva spesso le persone» disse Grace, sulla difensiva. «È così che comunicano. Devono creare un rapporto con i presenti in modo che quelli dell'altro mondo si possano mettere in contatto.»

Isabel rifletté un momento. Grace si dimostrava fedele alla medium, e c'era da aspettarselo. «Però, mi corregga se sbaglio, il messaggio era rivolto a una persona la cui moglie era preoccupata perché qualcuno stava cercando di conoscerlo meglio. Non era diretto al suo amico? Non ha visto come ha reagito?»

Grace fece boccuccia. «Non ero molto attenta.»

«Be', io sì» incalzò Isabel. «E posso dirle che lui pensava di essere il destinatario del messaggio. Aveva l'aria di chi ha preso una botta in testa con un giornale arrotolato.»

Grace tirò su col naso. «Non so. Certi messaggi sono generici. Avrebbe potuto essere diretto a chiunque. Quasi tutti gli uomini che frequentano le riunioni hanno perso la moglie, sa. Non è l'unico.»

Isabel fissò Grace. La sua governante aveva tante qualità, pensò. Era di modi spicci, assolutamente sincera, e non amava l'ipocrisia. Ma quando decideva di negare l'evidenza, ci riusciva con una tenacia degna di miglior causa.

«Grace, non volevo dirglielo chiaro e tondo, ma me le tira fuori. Penso che la medium guardasse solo il suo amico. Lo divorava con gli occhi. Ecco, immagini di essere una medium e di accorgersi che l'uomo che le interessa sta diventando un po' troppo amico di un'altra. Cosa farebbe? Tutt'a un tratto si accorge che c'è un messaggio della moglie dall'aldilà che, guarda caso, dice che la sua rivale non va bene per quell'uomo. E visto che lui crede che sia la moglie a parlare, prende quelle parole per buone. Fine della storia per... be', mi spiace dirglielo così, ma fine di una possibile storia d'amore per lei.»

Mentre Isabel parlava, Grace l'aveva guardata fissa. Riprese in mano la matita, rigirandosela delicatamente tra le dita. Poi si mise a ridere.

«E se la moglie ha visto giusto? Se non vado bene per lui? Eh?»

Isabel pensò rapidamente. La sua analisi – esatta, ne era sicura – si basava sul presupposto che la medium si fosse inventata il messaggio. Per lei era inconcepibile che potesse essere in contatto con la moglie morta, e non poteva che pensarla così. Ma chi come Grace credeva che il messaggio fosse autentico, poteva giungere a ben altra conclusione.

«In questo caso, immagino che dobbiate tenervi l'uno lontan dall'altra.»

«Proprio così» rispose Grace.

Isabel era basita. La maggior parte delle donne non avrebbe lasciato un uomo a un'altra senza nemmeno provare a combattere. Eppure Grace sembrava pronta a concedere la vittoria alla medium. «Mi stupisco che si arrenda così facilmente. A mio parere, quella donna sta giocando sporco. E lei gliela fa passare liscia.»

«Mi sa che non sono d'accordo» rispose Grace. «Tutto qui.» Guardò l'orologio e si voltò. La conversazione era finita. «C'è del lavoro da fare. E lei? La rivista è aggiornata?»

Isabel si alzò. «Non lo è mai. È una fatica di Sisifo.

Spingo un masso su per la collina e quello continua a rotolare giù.»

«È così per tutti. Io lavo le cose, che si risporcano e vanno rilavate. Lei pubblica una serie di articoli e ne arriva un altro sacco pieno. Anche il lavoro della regina è così. Inaugura un ponte e ne costruiscono un altro. Firma una legge e ne approvano una nuova.» Sospirò, come se fosse oppressa dal peso della corona.

«Lavorerai col sudore» recitò Isabel.

Grace, che aveva raccolto un foglio dal pavimento, annuì. «'Osservate come crescono i gigli del campo: non...'»

«'Non lavorano, e non filano'» le venne in aiuto Isabel.

«Giusto» disse Grace, che proseguì la citazione. «'Eppure io vi dico che neanche Salomone, con tutta la sua gloria, vestiva come uno di loro.'»

«Salomone» considerò Isabel. «Come pensa che fosse la sua gloria? Finimenti d'oro e ammennicoli vari?»

Grace esaminò il foglio che aveva raccolto da terra. Era una pagina di un manoscritto, qualcosa sul dolore e la perdita. Non sarebbe mai tornato insieme alle altre pagine, pensò lei, rimettendolo sulla scrivania. «Credo di sì. Grandi palandrane piene d'oro, caldissime per quella parte del mondo. E scomodissime. Ha visto i ritratti di Maria Stuarda? Quei vestiti dovevano essere soffocanti. E non c'era il deodorante, sa?»

«Però erano tutti nelle stesse condizioni» rispose Isabel. «Credo che non ci facessero caso.» S'interruppe, ricordando quando era stata in Russia, poco prima della caduta del comunismo, quando nei negozi non c'era nulla da vedere se non un vuoto desolante. Era stata nel metró di Mosca nel pieno dell'ora di punta, e la carenza di sapone, unita alla mancanza di deodorante, si era fatta sentire. Lei l'aveva notata. E i russi?

«C'era un vecchio che viveva accanto a mio zio a Kelso» disse Grace. «Me lo ricordo, perché da bambina andavo in vacanza dai miei zii. Il vecchio si sedeva davanti alla porta di casa, a guardare i campi. Si diceva che avesse passato i novantotto anni e che non si lavasse da quando si era rotto l'impianto dell'acqua calda della sua fattoria, vent'anni prima. Lui sosteneva di essere così longevo per quello.»

«Che sciocchezza» disse Isabel, per chiedersi immediatamente se lo fosse davvero. C'erano batteri buoni, no? Colonie di esseri microscopici che vivono su di noi in perfetta armonia, pronti ad affrontare i veri invasori, quando si presentano. Le infezioni nemiche. E a ogni bagno ne riduciamo i ranghi, spazzandone via le città, le dinastie, la civiltà. Perciò fece marcia indietro e disse: «Be', o forse no». Ma Grace se n'era già andata.

La telefonata di Tommaso giunse più tardi quel pomeriggio. Era un invito a cena. Si scusò per averle dato un preavviso tanto breve, spiegando che aveva cercato di contattarla prima. Era libera quella sera? Isabel aveva un'amica che, di regola, non avrebbe mai accettato un invito per lo stesso giorno, perché ciò avrebbe fatto pensare che aveva l'agenda vuota. Ah, l'orgoglio, che guastafeste poteva essere. Isabel non aveva principi così rigidi, e accettò immediatamente.

Il posto l'aveva scelto lui, un ristorante di pesce di Leith, il porto della città. L'avevano ricavato da una piccola costruzione di pietra che in epoche meno complicate era stata una casa di pescatori, con vista su un bacino di carenaggio al di là della strada acciottolata. Assomigliava a un bistrò francese, con il pavimento di assi di legno, le tovaglie di percalle e il piatto del giorno scritto con il gessetto colorato su una grande lavagna. Tommaso si guardò intorno rapidamente e rivolse uno sguardo di scuse a Isabel. «Me l'hanno consigliato in albergo» le sussurrò. «Spero che vada bene.» Mentre si chinava verso di lei, Isabel sentì il profumo della sua acqua di colonia, quell'odore costoso e speziato che le faceva venire in mente le pagine gratta-e-annusa delle riviste patinate.

Immaginò che Tommaso fosse abituato a locali più eleganti. Aveva un'aria così raffinata, con la sua giacca su misura e le scarpe di lusso con le fibbie ricercate. «Va benissimo» garantì Isabel. «È rinomato, questo posto.»

La sua affermazione sembrò rassicurarlo, e si tranquillizzò. Si guardò intorno di nuovo. «Non è facile quando si è lontani da casa. Se fossimo a Bologna, o persino a Milano, saprei dove portarla. Ma all'estero si è tanto vulnerabili.»

«Non ce la vedo tanto, nella parte del povero sprovveduto» disse lei, e immediatamente se ne pentì, visto che Tommaso le rivolse uno sguardo incuriosito.

«Ma lei non mi conosce. Come fa a dirlo?»

Isabel lo osservò, notando particolari che in precedenza le erano sfuggiti: la cravatta di seta, il colletto della camicia di un bianco immacolato e splendente, da sembrare inamidato. I capelli curatissimi, castano scuro ramato, pettinati all'indietro con il gel in modo tanto scrupoloso da non lasciare fuori posto nemmeno una ciocca. Aveva un'aria che Isabel definiva «da insegnante di danza classica». Di solito se ne sarebbe disinteressata, o l'avrebbe considerata solo un segno esteriore di vanità, ma adesso la trovava gradevole, per qualche ragione inesplicabile. Si accorse, anzi, mentre entravano nel ristorante, di provare un brivido d'orgoglio al pensiero di farsi vedere in compagnia di quell'uomo. Ecco, capì, cosa si provava vicino ai belli, il motivo per cui se ne ricercava la presenza: la bellezza e il sex appeal si trasmettevano anche a chi stava intorno.

Li condussero al tavolo, vicino alla finestra. Si sedettero e Isabel, che non aveva ancora guardato gli altri avventori, osservò la sala. Una donna a due tavoli di distanza stava sbirciando con discrezione lei e Tommaso, e si girò brevemente per non dare l'impressione di fissarli, ma tornò subito a guardarli. Isabel la riconobbe, anche se non sapeva dire perché. Si sorrisero.

Tommaso guardò l'altro tavolo. «Amici suoi?»

«Amici che in realtà non so chi siano» rispose Isabel. «Ma è una città così. Tutt'altro che una metropoli.»

«Mi piace» commentò lui. «Mi sembra di essere a Siena, o in un posto del genere. Però è più emozionante... per me almeno. La Scozia la trovo piena di emozioni.»

«Ha i suoi momenti» replicò Isabel. Arrivò il cameriere che le porse il menu. Era un ragazzo, forse uno studente, dai lineamenti regolari, con un sorriso a trentadue denti. Lo rivolse a lei e poi a Tommaso. L'uomo lo guardò in faccia e per un istante a Isabel parve di scorgere qualcosa, come un'occhiata d'intesa tra i due. O se l'era immaginato? Seguì lo sguardo di Tommaso. Aveva dato una rapida occhiata al menu aperto che teneva in mano, ed era tornato a posare gli occhi sul cameriere.

Le chiese se poteva consigliargli qualche piatto, ma Isabel non lo sentì. Stava studiando il menu, riflettendo su quanto aveva visto, se pure aveva visto qualcosa. Tommaso ripeté la domanda: «Mi consiglia? Sa, non conosco i piatti scozzesi...»

Isabel sollevò gli occhi dal menu. «Raccomando la sincerità. E la gentilezza. Entrambe. Sì, le raccomando entrambe.»

Sul cameriere quella frase fece effetto: il ragazzo trasalì e per la sorpresa si strinse al petto il blocchetto che teneva in mano. La testa di Tommaso ebbe un sobbalzo all'indietro, come tirata da un invisibile filo.

Poi il cameriere si mise a ridere, portandosi subito una mano alla bocca. «Stasera non l'abbiamo nel menu. Davvero...» Non finì la frase.

Isabel sorrise. «Mi dispiace, non so perché ho detto così. Mi è venuto un attacco di impertinenza.»

Tommaso aveva l'aria confusa. Si rivolse al cameriere e gli chiese spiegazioni su un piatto, ricevendole. Isabel consultò la carta. Non sapeva bene perché le era uscita quell'insolita battuta. Forse era la situazione, così incongrua: a cena con lo spasimante di sua nipote, che però aveva la sua, di età. Uomo tanto raffinato ed elegante, che aveva rivolto al giovane cameriere quello che le era parso proprio uno sguardo d'apprezzamento. Eppure ciò non giustificava una battuta fiacca e al limite della scortesia come quella.

Alzò gli occhi dal menu e propose quel che avrebbero potuto ordinare. Il cameriere, che la guardava ancora divertito, concordò e Tommaso annuì. Arrivò una bottiglia di vino bianco gelido, scelta da Tommaso, e vennero riempiti i bicchieri.

L'imbarazzo iniziale passò in fretta. Tommaso le raccontò della giornata passata a Edimburgo e della sua idea di andare in macchina fino a Glencoe.

«Viene anche Cat?» chiese lei. Sapeva già la risposta.

Lui guardò nel bicchiere, e Isabel capì che era una questione d'orgoglio. Era uno spasimante respinto: un rifiuto, per quanto dato con savoir faire e senso dello humour, era sempre un rifiuto. «No» rispose Tommaso. «Deve badare al negozio. Non può muoversi.» Sorseggiò il vino. Poi gli si illuminò il viso, come se gli fosse appena balenata un'idea, e disse: «Senta, le andrebbe di accompagnarmi? La Bugatti ha due posti. Magari non è comodissima, ma è molto bella».

Isabel cercò di non lasciar trasparire le sue perplessità. «A Glencoe?»

«E oltre» aggiunse Tommaso con un ampio movimento della mano. «Possiamo arrivare fino a quell'isola... quella grossa... Skye? Ce ne sono, di cose da vedere. È così grande la Scozia.»

«Ma quanto dobbiamo stare via?» chiese Isabel.

Tommaso si strinse nelle spalle. «Una settimana? Dieci giorni? Se non può, facciamo di meno. Cinque giorni?»

Non rispose subito. L'ultima volta in cui qualcuno l'aveva invitata a partire così all'improvviso, era stato John Liamor ed erano andati in Irlanda. Avevano preso il traghetto per Cork. Era successo in un'altra vita, si disse, o quasi; e ora eccola lì, in un ristorante di Edimburgo con un uomo che conosceva appena, il quale le chiedeva di partire.

Prese il bicchiere. «Non ci conosciamo quasi.»

«Il che rende la cosa ancora più avventurosa» fu lesto a rispondere. «Ma non pensi...»

«No» disse lei. «Non è quello. Solo che piantare qui tutto e andare via così...»

Tommaso allungò la mano a toccarle il polso, brevemente, e la tolse subito. «È questo che rende la cosa così emozionante.»

Isabel tirò un bel respiro. «Mi lasci riflettere. Ci devo pensare.»

Questa risposta parve soddisfarlo. Si appoggiò allo schienale e le sorrise. «Ma certo. Non ho fretta di andarmene da Edimburgo. È davvero – come dire? – congeniale. Non le pare?»

Isabel annuì. «Quasi esatto.» Spostò un poco forchetta e coltello in modo che fossero perfettamente paralleli. Un dettaglio forse, ma era una questione di tolleranza zero. Si cominciava dalle posate.

Tommaso la fissava, come in attesa che dicesse qualcosa. Be', decise lei, glielo chiedo.

«Non ha fretta di tornare in Italia» attaccò. «Posso chiederle cosa fa? Ha un lavoro che l'attende, oppure...»

Lasciò echeggiare nell'aria quella frase ambigua, ma lui non parve offeso. «Abbiamo un'azienda di famiglia. Ci lavorano in tanti e non è sempre indispensabile la mia presenza.»

«E cosa fate?» Era preparata a una risposta evasiva, ma, chissà come mai, trovandosi a tu per tu con Tommaso le parve meno importante sapere cosa faceva lui, o la sua azienda: «Una faccia ben fatta / riscatta ogni malefatta». Un distico originale, e le era venuto in mente all'improvviso.

«Produciamo scarpe» rispose Tommaso. «Soprattutto scarpe da donna.»

«Dove?» chiese lei. Non appena ebbe formulato la domanda, si accorse di essere stata brusca, forse persino maleducata.

Tommaso non sembrava infastidito dall'interrogatorio. «Abbiamo due stabilimenti, uno al sud e l'altro a Milano. Il design viene fatto tutto a Milano.»

«Ah, è vero. Cat mi aveva detto delle scarpe. Ora ricordo.»

Tommaso annuì. «Ha conosciuto molte persone della mia famiglia al matrimonio. È lì che ci siamo incontrati. A una delle feste.»

«Ha deciso in quel momento di venirla a trovare in Scozia?»

Tommaso portò la mano destra al polsino sinistro, strofinandolo. Isabel notò che si faceva la manicure. Nessuno scozzese se la sarebbe mai fatta.

«Sì, ho deciso allora» rispose lui. «Ho un paio di affari da sbrigare. Questioni di famiglia. Ma speravo anche di riuscire a conoscere meglio Cat. Non immaginavo fosse così impegnata.»

«Forse la considera troppo vecchio per lei» osservò Isabel, pensando alle «questioni di famiglia». Cosa voleva dire? Affari mafiosi?

La reazione di Tommaso non fu immediata. Guardò il piatto accanto a sé, schiacciando una briciola immaginaria con l'indice. Poi rispose: «Vede, in Italia non è poi così insolito che un uomo che ha passato da poco la quarantina, come me, sposi una ragazza di poco più di vent'anni. Anzi, è normale». La guardò dritto, senza battere ciglio.

«Interessante» commentò Isabel. «Qui no. Forse perché riteniamo che la parità sia importante nelle relazioni. E in un caso del genere la donna non sarebbe mai al pari dell'uomo.»

Tommaso si tirò un po' indietro sulla sedia, fingendo sorpresa.

«La parità? E chi la vuole?»

«Io, per esempio» rispose lei.

«Davvero? Ne è sicura? Non trova che la parità sia un po'... noiosa?»

Isabel ci pensò su un momento. Sì, aveva ragione lui. La parità era noiosa, e anche la bontà, a rifletterci: Nietzsche sarebbe stato d'accordo. La pace era noiosa, il conflitto e la violenza eccitanti. E quell'uomo che sedeva di fronte a lei, al suo tavolo, era tutt'altro che noioso.

«Sì» ammise Isabel. «È un po' noiosa, ma credo che

preferirei la noia all'ingiustizia. Preferirei vivere in una società giusta nei confronti dei suoi cittadini che in una piena di ingiustizie. Preferirei vivere in Svezia che...» Dovette pensarci. Che fine avevano fatto i paesi davvero tremendi? Dov'erano finiti i bei dittatori di una volta? Sfiancati dalle critiche, si erano ritirati. Eppure c'erano ancora nazioni in cui c'era un divario immenso tra ricchi e poveri, deboli e potenti. Il Paraguay, forse? Non ne aveva idea. Lì si erano dovuti sorbire per anni un dittatore da operetta, ma era stato deposto, no? C'erano ancora i latifondisti, laggiù? E quei paesi arabi dove sceicchi e principi consideravano il denaro pubblico come le proprie casse private? C'erano moltissime ingiustizie di cui si parlava così poco. La schiavitù esisteva ancora, così come l'oppressione del debito, la prostituzione forzata, il traffico di bambini. Esistevano queste cose, ma le voci che le denunciavano facevano fatica a farsi sentire in mezzo ai pettegolezzi, al rumore, e alla profonda perdita di serietà morale.

«Piuttosto che cosa? Che in Italia?» la incalzò Tommaso.

«Certo che no. Mi piacerebbe moltissimo abitare in Italia.»

L'uomo spalancò le braccia, come a darle il benvenuto. «Perché non viene? Perché non si trasferisce sulle colline sopra Firenze, come tutte le altre signore anglosassoni?»

Forse aveva fatto quella battuta a mo' di complimento, o forse non c'era nessun sottinteso. Eppure aveva parlato delle «altre signore anglosassoni», accomunandola al circolo tutt'altro che raffinato delle zitelle artistoidi ed eccentriche che infestavano paesi come Fiesole. Una banda di cafone dalla testa vuota, che si sdilinquivano di fronte a Botticelli e alla cucina toscana. Zie nubili, condannate allo zitellaggio. L'aveva invitata a fare un giro delle Highlands in Bugatti, e lei aveva quasi accettato. Ma è così che mi considera, si disse. Una dama di compagnia, una guida, buona per leggergli la cartina, descrivendogli il massacro di Glencoe. E io che pensavo di poter interessare a quest'uomo su un piano più romantico, erotico persino. Dovevo aver perso la testa.

Arrivò il cameriere con il primo piatto. Le mise davanti le scaloppine su letto di peperoni verdi e rossi tagliati a julienne. Mentre guardava il piatto, vacillò sull'orlo dell'autocommiserazione, ma si ritrasse. Perché dovrei autoflagellarmi, si chiese. Perché devo sempre soppesare il bene e il male? E se per una volta agissi e basta? Se diventassi io la cacciatrice, anche solo per qualche tempo, e gli dimostrassi che non sono quella che pensa lui? Se fossi io a conquistarlo?

Alzò lo sguardo. Il cameriere aveva in mano un tritapepe e stava offrendosi di macinargliene un po'. Era una cosa che non mancava di irritarla, il fatto che i proprietari dei ristoranti non si fidassero a lasciare i macinini in mano ai clienti. Non era colpa del cameriere, però, quindi lasciò perdere.

Guardò il suo commensale. «Mi piacerebbe considerare la sua proposta. La settimana prossima, magari?»

Studiò la sua reazione, cercando qualche indizio. Tommaso, però, non lasciò trasparire molto, se non l'ombra di un sorriso agli angoli della bocca e una breve variazione dello sguardo, in cui passò una fiammella, un riflesso creato, non c'era dubbio, da un gioco di luci, da un movimento improvviso del capo.

17

A Jamie non piaceva accompagnare i balletti. Dal suo posto nel golfo mistico, proprio sotto la ribalta, trovava sconcertante il rumore dei piedi dei ballerini. Ci si doveva sentire così, pensò, ad abitare al pianterreno, sotto vicini rumorosi. Però era pur sempre lavoro, e ben pagato. Meglio che doversi sorbire i suoi allievi. Quel pomeriggio, il giorno dopo la cena di Isabel con Tommaso, il giovane aveva suonato durante una mâtinée dello Scottish Ballet, dandosi appuntamento con Isabel per il dopo spettacolo, nella caffetteria del Festival Theatre.

Doveva parlargli, aveva detto lei. Jamie aveva iniziato a domandarle: «Di cosa...» ma si era interrotto, perché l'argomento lo conosceva già senza chiedere. «Mi racconti quando ci vediamo» aveva concluso, aggiungendo solo: «Non hai fatto niente di avventato, vero Isabel?»

La risposta era sì, pensò lei senza dire nulla. Aveva praticamente accettato di partire per le Highlands con uno che quasi non conosceva neanche. Non che intendesse raccontarlo a Jamie... per ora. Aveva finto di essere una medium. Al primo incontro, aveva fatto sì che Graeme la guardasse con odio, a labbra serrate. Tutte azioni avventate, senza dubbio. E se dietro due di queste cattive scelte c'era il suo acuto senso del dovere morale, l'altra era frutto solo di un improvviso accesso di spavalderia. Eppure quello, il gioco sfacciato di seduzione con Tommaso –

tutto da parte mia per ora, si disse – era, dei tre, l'unico gesto avventato che non rimpiangeva. Anzi, il solo pensiero era piacevole: un'avventura senza tabù, un delizioso sogno erotico. Il mio amante italiano, avrebbe potuto dire in seguito, aggiungendo poi con rimorso: sì, l'ho usato, lo ammetto. Certo, non sarebbe mai riuscita a raccontarlo a nessuno, ma poteva pensarci in privato, e trovare conforto al pensiero: «Il mio amante italiano». Quante donne avrebbero voluto dirselo, di fronte alla noia e alle limitazioni della vita quotidiana. «Sì, sì, lo so: ma una volta ho avuto un amante italiano.»

Attraverso la vetrata a tutta parete della caffetteria del Festival Theatre, Isabel vedeva la facoltà di chirurgia, di là della strada. Dall'ingresso laterale del college stava uscendo un gruppetto di uomini e donne, esaminandi che si radunavano intorno a un foglio. Uno di loro picchiò con il dito sul pezzo di carta, dicendo qualcosa agli altri. C'era chi scuoteva la testa e Isabel provò un moto di simpatia per quel poveraccio. Chissà cos'aveva scritto? Aveva sbagliato organo da asportare? Da ogni ospedale del mondo i dottori venivano qui per tentare l'ammissione al college, ma a passare erano in pochissimi. Un suo amico chirurgo gliene aveva parlato: in alcune sessioni erano solo sette su sessanta gli aspiranti invitati a entrare nel sancta sanctorum, mentre gli altri venivano cortesemente congedati. Il dottore che aveva indicato il foglio abbassò gli occhi a terra; la donna accanto a lui gli mise una mano sulla spalla per consolarlo. Sarebbe stato un triste ritorno a casa.

Jamie si lasciò scivolare sulla sedia accanto a lei: quando Isabel si voltò, se lo trovò davanti, con quel sorriso che trovava così affascinante. «Arvo Pärt», le disse.

«Lento. Pieno di silenzi. Con dei pattern ripetitivi.»

Il ragazzo si mise a ridere. «Proprio così. Però mi piace, sai. Il balletto che abbiamo accompagnato usa un suo pezzo, *Psalom*. Ha un'architettura splendida.»

«Insomma, sei di buonumore?»

Jamie si grattò la testa e guardò la strada. «Sì, direi di sì. Sono di buonumore. Me lo vuoi rovinare? È successo qualcosa?»

«Andiamo a fare due passi» disse Isabel. «Mi sento un po' costretta. Parliamo mentre passeggiamo, ti va?»

Jamie lasciò il fagotto a una ragazza della biglietteria e raggiunse Isabel sul marciapiede davanti al teatro. Attraversarono la strada e scesero per Nicolson Street fino al South Bridge. Oltrepassarono il Thin's Bookshop, come lo chiamava ancora Isabel, e voltarono in Infirmary Street. L'Old College li sovrastava, con il suo enorme quadrilatero di pietra grigia. In cima alla cupola, la statua lustra di un giovane ignudo, con una torcia in mano, rifletteva il sole del tardo pomeriggio, spiccando dorata sullo sfondo delle nuvole alte nel cielo. Isabel aveva la tendenza a guardare in su quando girava per Edimburgo, perché erano lì le bellezze dimenticate della città: i cardi scolpiti nella pietra, i gargoyle scozzesi a cavallo dei timpani delle case, le insegne del diciannovesimo secolo non ancora sbiadite del tutto. PENNE, INCHIOSTRO, PRESTITI: un palinsesto della vita e dei commerci della città.

Jamie stava parlando di Arvo Pärt e del suo impegno seguente, un concerto con la Scottish Chamber Orchestra. Isabel ascoltava. Aveva degli argomenti di cui voleva discutere con lui, ma Jamie era ancora su di giri per la performance ed era contenta di lasciarlo parlare. Quando sembrava stesse per finire, d'improvviso Infirmary Street piombava a precipizio sulla Cowgate, trasformandosi in una specie di scivolo acciottolato nemico di automobilisti e pedoni incauti. Svoltarono dietro l'obitorio, dirigendosi verso i gradini di pietra che scendevano costeggiando un condominio malandato. Sulle scale c'erano vetri rotti e una grossa fibbia cascata da una cintura.

«Ne succedono di cose, in questa città» disse Jamie, osservando la fibbia.

«Sì. Basta svoltare l'angolo, fare qualche passo, e ci si ritrova in un mondo diverso.» Indicò la statua sull'alta cupola dell'università, dietro di lei. «Tiene alta la fiaccola della ragione.»

Jamie si guardò alle spalle e per un istante si rabbuiò. Guardò Isabel. Poi fissò il muro del condominio accanto a loro e i gradini consumati dai piedi per secoli, testimonianze di una vita di povertà e di stenti.

«È molto diverso da Pärt» disse. «La musica lo è sempre. Si può vivere per un po' in un mondo fatto di musica. Poi si esce per strada e ci si ricorda che è questa la realtà.» La fissò per un momento, in un silenzio amichevole. «Isabel, cos'è successo?»

Lo prese delicatamente sottobraccio. Non toccava spesso Jamie, anche se avrebbe voluto. Scesero i gradini rimanenti insieme, a braccetto. Gli raccontò dell'incontro con Rose nella gastronomia e della rivelazione che il donatore non era suo figlio. Jamie l'ascoltò con attenzione mentre scendevano per Holyrood Road. Quando ebbe finito, si fermarono. Erano di fronte alla sede dello «Scotsman», un grande palazzo di vetro con colline e cime montuose sullo sfondo.

«Non vedo perché ti preoccupi» disse Jamie. «Semplicemente, quel tizio, Ian, ha avuto le allucinazioni. Chiamale come vuoi. Casualmente quell'allucinazione ha assunto una forma che ricorda il compagno di quella donna. Si chiama coincidenza, no?»

«E adesso cosa faccio?» chiese Isabel.

Jamie si chinò in avanti e le batté con l'indice sul polso. «Non fai niente di niente. Hai già fatto il possibile per quell'uomo e ti sei ritrovata in un vicolo cieco. Non devi andare a caccia del vero donatore...»

Lo interruppe. «Quello vero?»

Jamie si strinse nelle spalle. «Be', il cuore l'ha pur ricevuto da qualcuno. Sei saltata alle conclusioni troppo in fretta. Ci sarà stata la morte improvvisa di un altro ragazzo. Tu hai trovato quella che è stata riportata dall'Evening News'. Ma non tutti quelli che muoiono finiscono sull'Evening News' o sullo 'Scotsman'. Ci sono morti che non vanno sul giornale. Gente che non fa notizia.»

Isabel non replicò. Jamie la guardava, aspettando che dicesse qualcosa, ma lei non aprì bocca. Stava fissando la sede dello «Scotsman», osservando un uomo con il soprabito nero che usciva dalla porta girevole e scendeva i gradini diretto a un taxi che lo attendeva sul marciapiede.

«Potrei chiederlo a lui» mormorò.

«A chi?»

Isabel glielo indicò. «Quello là. Lo conosco, è Angus Spens. Giornalista dello 'Scotsman'. Riesce a scovare qualsiasi cosa. Davvero. Ci serve solo un nome, tutto qui.»

«E perché lo farebbe?»

«È una storia complicata» rispose lei. «Dividevamo il bagno.» Si mise a ridere. «Avevamo cinque anni, mia madre e la sua erano molto amiche. Ci vedevamo spesso.»

Jamie corrugò la fronte. «E allora? Ti sembra davvero probabile che l'altro donatore, chiunque sia, sia stato fatto fuori da qualcuno che ha la fronte alta, per quello che vuol dire questo particolare? Ma dai, Isabel!»

«Devo andare fino in fondo» insistette lei. Sì, bisogna

finire quel che si è cominciato, si disse, e questa cosa l'ho cominciata io. Sono stata io a gettare un sasso nel *loch*. Ma c'era dell'altro. Per Ian, trovare una spiegazione a quel che stava accadendo era una questione di vita o di morte. Le aveva confidato che pensava di poter guarire solo se avesse trovato una spiegazione a quelle strane esperienze, ed era certa che dicesse sul serio. A volte lo si capisce quando si sta per morire. Forse non è possibile spiegarlo, ma lo si percepisce.

Si ricordò che una volta in una galleria, la Phillips, aveva visto un quadro giovanile di Modigliani. Colline in lontananza, campi verdi sui due lati, e in mezzo una strada diretta verso l'orizzonte, che s'interrompeva prima di giungere a destinazione. Il pittore sapeva che avrebbe avuto una vita breve, le disse la persona che le stava accanto. Se lo sentiva.

Si girò a guardare il taxi che aveva raccolto Angus Spens partire a tavoletta. Dalla foschia dei primi anni di vita riusciva ancora a evocare il ricordo: stava seduta in una grande vasca bianca, con un bambino all'altro capo che le spruzzava l'acqua in faccia, ridendo. E poi sua madre in piedi accanto a lei, che la prendeva in braccio. Sua madre. Ne vedeva ancora il viso a volte, la notte, nei suoi sogni, come se non se ne fosse mai andata. Sua madre che era ancora lì, in disparte. Spesso è così che immaginiamo i morti: una nuvola d'amore che fa da sfondo alla nostra vita.

Isabel e Jamie risalirono per Holyrood Road, pressoché in silenzio. Starà pensando di nuovo a Pärt, si disse Isabel, impegnata a sua volta a riflettere su Angus Spens e su come contattarlo. Poco prima della Cowgate si salutarono, e Jamie prese per un vicoletto che risaliva fino a

Infirmary Street. Lo guardò per qualche istante. Il ragazzo si voltò, la salutò con la mano e proseguì. Isabel continuò per Cowgate, che passava sotto il South Bridge e il George IV Bridge. Era il seminterrato della città vecchia. Sui due lati, le grandi costruzioni di pietra annerite dal fumo antico si inerpicavano fino alla luce, in alto, in un dedalo di passaggi e vicoli ciechi. Era una via curiosa, pensò Isabel: il cuore oscuro della città vecchia, una strada i cui abitanti, moderni trogloditi, non parevano mai mostrarsi in volto, rinchiusi dietro porte sbarrate. Una via fatta tutta di echi.

Raggiunse il punto in cui Cowgate si apriva in Grassmarket. Attraversata la strada, iniziò a risalire per Candlemaker Row. Seguendo quel percorso sarebbe passata accanto al Greyfriars Kirkyard, e attraversando i Meadows sarebbe arrivata a casa in mezz'ora. Tornò a sollevare lo sguardo. Alla sua destra c'era il muro del cimitero, un'alta parete di pietra grigia dietro cui giacevano le ossa degli eroi presbiteriani, i Covenanter che avevano scritto i loro nomi nella storia con il sangue. I difensori della libertà religiosa della Scozia. E come ricompensa, erano morti. Quanta fede ci vuole, pensò, per essere disposti a morire per ciò che si ritiene giusto: eppure, c'era sempre stata gente pronta a farlo. Gente che ne aveva trovato il coraggio. E io ce l'ho, un coraggio del genere?, si chiese. O almeno, ne ho un po'? Si rispose di no: chi si limitava a pensare al coraggio, come faceva lei, spesso non era un eroe.

Candlemaker Row era quasi del tutto deserta, a parte un paio di alunni della George Heriot's School, in cui s'imbatté dietro l'angolo. I ragazzini, con la camicia bianca fuori dai pantaloni, si appoggiarono alla parete per lasciarla passare e poi si misero a ridacchiare. Isabel sorrise, e si voltò a guardarli per un istante, perché uno dei due aveva un viso birichino che la divertì, un viso da vero monello in un periodo in cui i ragazzini venivano definiti assurdamente «giovani adulti». Fu lì che lo vide, a una certa distanza sull'altro lato della strada, incamminato nella sua stessa direzione. Si girò immediatamente e proseguì a testa bassa. Non voleva rivedere Graeme. Non voleva incrociare il suo sguardo e sentire di nuovo quella vampata di ostilità.

Arrivò in cima a Candlemaker Row e girato l'angolo proseguì in Forrest Road. Lì c'era animazione, passanti e traffico. Un autobus le passò accanto facendo un gran rumore; un uomo con un cane nero spelacchiato al guinzaglio sostava davanti alla vetrina di un negozio; due adolescenti in minigonna venivano verso di lei; uno studente, con i pantaloni sapientemente calati in modo da lasciar vedere i boxer, camminava cingendo con il braccio la sua ragazza, mentre la mano di lei trovava rifugio nella tasca posteriore dei suoi calzoni, uno sfacciato gesto di intimità che non si preoccupava di nascondere. Isabel voleva solo mettere una certa distanza tra sé e Graeme. Giunto in cima a Candlemaker Row, l'uomo avrebbe dovuto svoltare, diretto magari al George IV Bridge. Invece no. Quando tornò a guardarsi dietro le spalle, lo vide a pochi passi da lei. Non la guardava, ma era così vicino che presto l'avrebbe raggiunta. A quel punto non avrebbe potuto non vederla.

Aumentò l'andatura, gettando una rapida occhiata dietro di sé. L'uomo si era fatto più vicino e Isabel si accorse che la stava fissando. Distolse lo sguardo: era arrivata all'angolo del Sand's Bell, proprio accanto ai cartelli WHISKY, BIRRA E MUSICA DAL VIVO. Esitò un istante e poi, spingendo i battenti della porta da saloon, entrò nel pub con le pareti perlinate, il lungo bancone di mogano lucidato e l'ampia scelta di bottiglie di whisky sugli scaffali. Con sollievo vide che il locale era piuttosto affollato, anche se erano solo le cinque passate da poco. In seguito si sarebbe riempito completamente, al suono della musica scatenata, trascinata dai violini, dai *tin whistles* e dai cantanti. Si avvicinò al bancone, felice di sedersi accanto a una donna invece che a un uomo. Isabel non frequentava i bar, ma in quel momento non c'era posto che le sembrasse migliore di quello, al sicuro, in mezzo alla gente. Se n'era convinta, Graeme la stava seguendo, per assurdo che potesse sembrare. Le persone non pedinavano gli altri in pieno giorno per le strade di Edimburgo, o perlomeno non in quella parte della città.

La donna accanto a lei guardò la nuova arrivata e la salutò con un cenno del capo. Isabel sorrise, notando le rughe intorno alla bocca, piccoli segni che la contrassegnavano come una fumatrice. Doveva essere ancora sotto i quaranta, considerò, ma stava invecchiando rapidamente, a causa dell'alcol, delle preoccupazioni, del fumo.

Il barista sollevò un sopracciglio, in attesa, e per un attimo lei non seppe cosa dire. Tanti anni prima ci andava, nei pub, con John Liamor. Lui beveva la Guinness. Ma lei, cosa prendeva allora? Guardò le file di bottiglie davanti a sé e le venne in mente la degustazione di whisky a cui aveva partecipato, sentendo Charlie Maclean usare una serie di definizioni davvero curiose. Le differenze tra i vari whisky le erano ormai passate di mente, ma notò una marca che le parve di riconoscere. Le sembrava che l'«annusatore» di whisky ne avesse parlato. La indicò al barista, che annuì e prese la bottiglia.

La donna accanto toccò il proprio bicchiere, ormai quasi vuoto. Isabel fu lieta di offrire.

«Posso?» chiese, facendo un cenno al barista.

La donna s'illuminò in viso. «Grazie, cocca.» A Isabel piaceva quel termine affettuoso di una volta, che in Scozia si usava tanto spesso. Era un segno di calore.

«È stata una giornatina» disse la donna. «Sono al lavoro dalle dieci di stamane. Senza pause.»

Isabel sollevò il bicchiere, brindando alla sua nuova amica. «Che lavoro fa?»

«La tassista» rispose lei. «Io e il mio uomo. Tutti e due tassisti.»

Isabel stava per dire che doveva essere dura con tutto quel traffico, quando lo vide, seduto più avanti al bancone. Si stava facendo dare un bicchiere di birra dal barista. La tassista seguì il suo sguardo.

«Hai riconosciuto qualcuno?»

Isabel si sentì svuotata. Graeme doveva essere entrato subito dopo di lei, seguendola. Poteva essere solo una coincidenza? E se fosse stato già diretto al Sandy's Bell, proprio mentre lei per caso passava da Candlemaker Row? Non sapeva cosa pensare.

Si sedette su uno degli sgabelli del bancone, accanto all'altra donna. Ora Graeme era uscito dalla sua visuale, e supponeva che nemmeno lui la vedesse più.

La tassista sbirciò di nuovo lungo il banco. «C'è qualcosa che ti preoccupa, cocca» disse, a voce più bassa. «Stai bene?» Poi soggiunse: «Questi uomini. Sempre loro, la causa di tutti i nostri guai. Uomini!»

Per quanto fosse turbata, Isabel riuscì a sorridere. Il commento della tassista, una manifestazione di solidarietà, la rallegrò. Insieme siamo forti. Le donne non sono sole ad affrontare i prepotenti. Basta riuscire a chiamarsi «cocca» l'una con l'altra e a restare unite.

Isabel notò che la donna aveva appoggiato sul banco

un telefonino, accanto al bicchiere, e a quella vista le venne un'idea. Nella borsa aveva l'agendina tascabile con tutti i numeri di telefono che aveva usato di recente, annotati nella rubrica in fondo.

«Posso chiederle un favore? Devo fare una telefonata.»

La donna fece scivolare di buon grado il telefono lungo il bancone. Isabel lo prese e fece il numero. Sbagliò e lo rifece. Rispose. Poteva venire, se insisteva. Era importante? Sì, il tempo di chiamare un taxi e fare il breve tragitto fino al Sandy's Bell.

«Ti prego, sbrigati» disse Isabel, con una voce che era poco più che un sussurro.

Mentre aspettava, scambiò ancora due parole con la sua vicina.

«C'è qualcuno che ti fa paura, vero? Quel tipo là in fondo?»

Isabel non riusciva neppure ad ammettere di essere spaventata da qualcuno. Nel suo mondo – quello in cui viveva normalmente – non era prevista la paura degli altri, ma sapeva che per molti la vita era uno spavento continuo. Tendiamo a dimenticarcelo.

«Credo mi abbia seguito.»

La donna fece una smorfia. «Ah, è un tipo così. Sono penosi, vero? Fanno tristezza.» Sorseggiò il suo bicchiere. «Vuoi che gli dica io due paroline? Me ne capitano di tipi così sul taxi. So come trattarli.»

Isabel declinò l'offerta.

La donna parve sorpresa. «Sicura?»

«Sì. Non voglio fare una scenata.»

«Non gliela devi lasciar passare liscia» la consigliò con calore. «Non devi.»

Per un po' rimasero sedute vicine, in silenzio; Isabel era felice di avere compagnia, ma tornò a immergersi nei suoi pensieri. Con fare discreto, arrivò Ian. Se lo trovò accanto tutt'a un tratto, che le posava una mano sulla spalla. L'altra donna lo prese come un segnale per spingere verso il barista il bicchiere vuoto e alzarsi dallo sgabello. «Ricordati, cocca» le sussurrò. «Non ti devi far prendere in giro. Fatti valere.»

Ian si sedette sullo sgabello liberato dalla tassista. Era vestito in modo più casual rispetto ai loro incontri precedenti. Il pullover e i pantaloni di fustagno erano intonati all'abbigliamento degli altri avventori del bar. Aveva l'aria rilassata.

«È un po' una sorpresa» attaccò, guardandosi intorno. «Qui ci venivo anni fa, sai? Laggiù spesso sedeva Hamish Henderson ed è stato qui che l'ho sentito cantare *Farewell to Sicily*. Che impressione.»

«L'ho sentito anch'io una volta, ma non qui. Alla School of Scottish Studies. Ha cantato in piedi su una sedia, se ricordo bene.»

Ian sorrise a quell'idea. «Che figura imponente, anche se si muoveva a stento... Era tutto denti. Li davamo per scontati, non credi? C'erano tutti questi grandi personaggi in mezzo a noi, i poeti, i *makars* scozzesi: Norman MacCaig, Sydney Goodsir Smith, Hamish. Li s'incontrava per la strada. Erano in giro.» La guardò. «Ti ricordi *Lamento per i makars*, Isabel?»

Sì, se lo ricordava, come si ricordava i caldi pomeriggi di scuola durante il quadrimestre estivo, seduti sull'erba insieme alla signorina Crichton, insegnante di inglese che amava gli antichi poeti scozzesi.

«Quella poesia ce l'ho tutta in testa» proseguì Ian. «È un'idea geniale quella di elencare tutti i poeti, tuoi predecessori. E Dunbar conclude dicendo che probabilmente sarà lui il prossimo della lista! 'Il buon signore Hew di Eglintoun, / Ettrick, Heriot e Wintoun, / da questo paese furon strappati, ahimè: / *timor mortis conturbat me.*'»

Richiamò l'attenzione del barista e gli indicò un whisky. «Strappato dal paese, Isabel. Che bel modo di dirlo. 'Vengo strappato dal paese. Strappato via da te.' E anch'io sono quasi stato strappato dal paese, Isabel, finché quel giovane, chiunque sia, e i chirurghi non sono venuti a riacciuffarmi.»

Il barista gli allungò un bicchierino di whisky e Ian lo sollevò, brindando in gaelico. «*Slainte.*»

Isabel a sua volta alzò il bicchiere.

L'uomo la guardò con aria interrogativa. «Perché mi hai chiesto di venire, Isabel? Non certo per parlare di poesia.»

Lei sollevò il bicchiere e scrutò il whisky, che non le piaceva. Troppo forte.

«Quell'uomo di cui ti ho parlato. Graeme. Quello che ho trovato.»

Ian cambiò espressione. Teso, chiese: «Hai preso una decisione?»

Isabel abbassò la voce. «È qui. Accanto a noi. Ma ho scoperto una cosa. Non ha niente a che vedere con chi ti ha donato il cuore. Niente!»

L'uomo non si guardò subito intorno, ma tenne lo sguardo fisso davanti a sé, sullo scaffale del whisky. Poi, lentamente, girò la testa e guardò verso il fondo del bancone.

«Dove?» mormorò. «Non vedo nessuno...» S'interruppe e Isabel lo vide restare quasi a bocca aperta. La destra, che teneva poggiata sul bancone, si serrò improvvisamente a pugno.

Graeme era seduto su una panca in fondo al bar. Aveva un giornale spiegato sulle gambe. Davanti a lui, su un tavolino, c'era un birra bevuta per metà.

«È lui?» chiese Isabel. «È l'uomo che continui a vedere?»

Gli occhi di Ian erano fissi sulla figura seduta all'altro capo del locale. Si girò a guardare Isabel. «Non so che pensare. È una sensazione strana.»

«Ma è lui?» insistette Isabel.

Ian tornò a guardare da sopra la spalla. Mentre lui si girava, Graeme si voltò, e Isabel vide che dava un'occhiata nella sua direzione. Restituì lo sguardo e rimasero a fissarsi attraverso la stanza per quasi un minuto. Poi l'uomo tornò a leggere il giornale.

D'improvviso Ian la prese per un braccio. Vi si appoggiò, e Isabel sentì la stretta attraverso la stoffa della manica. «Non mi sento bene. Devo andare. Mi dispiace... Mi sento strano.»

Isabel si mise subito in allarme. Ian aveva il viso tirato, pallido. Si era quasi accasciato sullo sgabello, e il braccio destro gli era scivolato giù dal bancone. Immaginò il cuore nel suo petto, quell'organo alieno che percepiva l'adrenalina dello shock appena subìto, vedendo dal vero il viso che gli continuava ad apparire. Era stata una follia invitarlo lì. E poi, per quale motivo? Perché affrontasse quell'uomo, che con lui comunque non aveva niente a che fare, visto che il donatore non era il figlio della sua compagna?

Gli passò il braccio intorno alla vita, un po' a sorreggerlo e un po' a confortarlo.

«Devo chiamare qualcuno? Il dottore?»

Ian aprì bocca per parlare, ma non ci riuscì. A Isabel parve che gli mancasse l'aria e si guardò intorno disperata. Il barista, preoccupato, si sporse dal bancone. «Signore? Signore?»

Lui alzò gli occhi. «Sto bene. Sto bene.»

«Ti porto dal dottore» insistette Isabel. «Non hai un bell'aspetto. No davvero.»

«A volte mi capita. Il cuore non c'entra. Sono le medicine, credo. Il mio organismo è tutto scombussolato e mi capita di sentirmi debole tutto d'un tratto.»

Isabel non rispose. Lo cingeva ancora con il braccio, ma Ian si tirò su, spingendola delicatamente da parte.

«Sembra proprio lui» disse. «Strano, vero? È il viso che ho continuato a vedere. Ed eccolo lì seduto.»

«Non so, forse non avrei dovuto chiederti di venire qui» osservò Isabel. «Sai, pensavo che mi avesse seguito, e mi è venuto in mente che perlomeno potevamo stabilire se era lui oppure no.»

Ian si strinse nelle spalle. «È lui. Ma non voglio parlargli.» Fece un gesto rassegnato. «Cosa gli potrei dire, tra l'altro, se non ha niente a che fare con il trapianto? Non capisco più a che punto siamo.»

Uscirono dal bar insieme, senza voltarsi a controllare Graeme. Isabel gli chiese se gli dispiaceva accompagnarla dietro l'angolo al parcheggio dei taxi, davanti all'imponente sede gotica della George Heriot's School. Ian acconsentì e s'incamminarono piano. L'uomo sembrava avere ancora il fiato corto, e Isabel si adattò al suo passo.

«Sono in pensiero per te» gli disse. «Non avrei dovuto chiamarti.» Salendo sul taxi gli chiese, dal finestrino aperto: «Ian, preferisci che non faccia più niente? Che lasci perdere?»

Lui scosse il capo. «No. Non voglio.»

Ottimo. Però c'era un'altra cosa che la lasciava perplessa. «E tua moglie, Ian? Che ne dice del mio coinvolgimento in questa storia? Mi dispiace, ma non riesco a fare a meno di chiedermi cosa ne pensa del fatto che tu esca con me, o che venga di corsa a incontrarmi in un bar, per esempio.»

Lui distolse lo sguardo. «Non gliel'ho detto. Non le ho detto niente.»

«È una buona idea?»

«Probabilmente no. Eppure ci capita spesso di mentire alle persone che amiamo, o di omettere delle cose, proprio perché le amiamo, non credi?»

Isabel lo guardò negli occhi per un istante. Sì. Aveva ragione. Chiuse il finestrino. Ian andò al taxi successivo e aprì la portiera. Le due vetture s'immisero nel traffico. Isabel si appoggiò allo schienale e prima che il taxi voltasse per proseguire in Lauriston Place, tornò a guardare in direzione di Forrest Road, quasi aspettandosi di scorgere Graeme spuntare dall'angolo. Non lo vide, invece, e si rimproverò per quell'eccesso di immaginazione. Non aveva motivo di seguirla. Era completamente innocente, solo infastidito perché lei aveva turbato la sua compagna. Doveva tenersi alla larga da lui... cosa che aveva cercato di fare. Se lo immaginava, quel che pensava di lei. Lo vedeva dire a un amico: «Una stupida, una sedicente medium, è venuta a dare fastidio a Rose. Ce n'è di gente così, no? Non lasciano in pace neanche i morti».

Isabel si accomodò sul sedile del taxi. La domanda fondamentale che le girava in testa era questa: al Sandy's Bell, quando si era voltato, l'aveva vista e i loro sguardi si erano incrociati, Graeme aveva l'aria sorpresa?

18

Grace portò la posta del mattino nello studio di Isabel. Le lettere erano molte più del solito, cosa che strappò una smorfia alla governante mentre deponeva la montagna di buste e pacchetti sulla scrivania.

Isabel trasalì. In sua assenza, la posta si sarebbe accumulata all'inverosimile, riempiendo gradualmente una stanza dopo l'altra, fino a colmare tutta la casa. «Grace, cosa succederebbe se stessi via per un po'? Se me ne andassi...» Non terminò la frase. Stava progettando – be', era ancora un'ipotesi – di partire insieme a un italiano, e per di più a bordo di una Bugatti. Però non poteva certo dirlo a Grace... per ora.

«Venticinque arrivi, oggi» la informò la governante. «Li ho contati. Dieci manoscritti... dieci! Altre quattro sembrano libri, uno dei quali un bel mattone. E undici lettere, di cui tre bollette, direi.»

Isabel la ringraziò. Negli ultimi mesi era diventato una specie di rito che Grace partecipasse all'apertura della posta, con Isabel che le affidava direttamente le cose che potevano finire subito nella pila della carta da riciclo. Alcune ci finivano intonse; altre venivano strappate da Grace secondo un sistema da lei ideato. I volantini dei conservatori si salvavano sempre, mentre quelli degli altri partiti venivano strappati o risparmiati a seconda del suo giudizio sulle loro ultime performance.

Isabel aprì una lettera contenuta in una busta dall'indirizzo scritto con cura. «È del mio amico Julian» disse. Lesse il breve messaggio, ridendo forte una volta giunta alla fine.

«Scommetto che dice sul serio» aggiunse, passando la lettera a Grace. «Mi propone un articolo sull'etica del buffet.»

Grace la lesse e gliela restituì. «Certo che è un furto» commentò. «Servirsi dei panini in quel modo. È chiaro che la pensi così.»

«Julian Baggini è un tipo acuto. E la sua domanda è seria. È etico servirsi più volte dei panini del buffet dell'albergo? E usarli per farci un picnic?»

«Ah sì? È questo che interessa ai suoi lettori?»

Isabel ci pensò su un momento. «Potremmo pubblicare un numero sull'etica del cibo» disse. «Lì l'articolo di Julian ci starebbe a pennello.»

«L'etica del cibo?»

Isabel prese il tagliacarte e ne saggiò il filo. «Il cibo è un argomento molto più complesso di quanto si possa pensare, sa? Ci sono tutte le ragioni perché i filosofi si dedichino al cibo.»

«Per esempio, che abbiano fame» ribatté Grace.

Isabel ammise: «I filosofi non sono diversi dagli altri. Hanno le loro esigenze». Tornò a guardare la lettera. «I buffet. Già. M'immagino le implicazioni.»

«È un furto» ripeté Grace. «Non si deve prendere ciò che non è nostro. Cos'altro c'è da aggiungere?»

Isabel si mise le mani dietro la testa e guardò il soffitto. Su alcuni argomenti, anche se non su tutti, Grace era una riduzionista. Maneggiava con disinvoltura il rasoio di Occam. Non era un male, per certi versi.

«Però non sempre è chiaro ciò che è nostro e ciò che

non lo è» replicò Isabel. «Si potrebbe pensare di aver diritto a un panino extra: e se non fosse così? Se l'albergo te ne mettesse a disposizione solo uno?»

«In tal caso avremmo preso qualcosa che pensiamo sia nostro ma non lo è» disse Grace. «Non è un furto... almeno, non lo è secondo me.»

Isabel esaminò per un momento questa posizione. Due persone vanno a una festa, immaginò, ed entrambe hanno ombrelli simili. Una delle due se ne va per prima. Prende un ombrello pensando che sia il suo, ma quando arriva a casa scopre che è quello sbagliato. Allora, supponeva, non era furto, almeno in senso morale, e sicuramente non lo era in termini legali. Dai recessi della memoria le venne in mente una discussione su questo argomento con un avvocato, un tipo dal naso affilato che parlava con tono misurato e pedante, ma dall'intelletto acuminato come... be' come il rasoio di Occam. Le aveva detto che la legge permetteva un margine d'errore, purché fosse un errore plausibile. Le era parso sensato.

«La legge ha gli strumenti per valutare la plausibilità degli errori» le aveva detto l'avvocato, presentandole degli esempi che le erano rimasti impressi.

«Pensi al rapporto di causa-effetto» le aveva spiegato. «Si è responsabili delle conseguenze delle proprie azioni per quanto una persona ragionevole è in grado di prevedere. Oltre quel limite, le responsabilità vengono meno. Ecco un caso autentico: A aggredisce B, che rimane steso a terra. Ha una ferita alla testa e perde sangue. Arriva C, che ha rudimenti di pronto soccorso. Gli hanno insegnato che in caso di ferita si mette un laccio emostatico, e così fa.»

«E glielo mette al collo?»

«Purtroppo sì. Il punto è questo: responsabile della morte di B continuava a essere A, quando la causa del decesso era stata ovviamente il soffocamento e non l'emorragia? Cosa si fa in caso di soccorritori maldestri?»

Isabel era riuscita a rimanere seria, ma a fatica. Era pur sempre una tragedia. «E cosa è stato deciso?»

L'avvocato aveva aggrottato la fronte. «Mi dispiace. Non mi ricordo proprio la sentenza. Ma eccole un altro caso. A litiga con B, che lo spinge facendolo cascare dalla finestra. A rimane appeso per le bretelle, che s'impigliano nel davanzale. Sotto di lui si raduna un capannello di persone, mentre sul davanzale compare un soccorritore. 'Tiralo giù' gridano gli astanti. E il volonteroso samaritano taglia le bretelle.»

«Che storia triste» aveva commentato Isabel. «Poveretto.»

Di questo aneddoto l'avvocato si ricordava l'esito, e gliel'aveva raccontato, ma Isabel non riusciva a rammentarselo. Tornò a guardare Grace.

«Ma crede che chi prende un panino extra pensi di averne diritto?» le chiese.

«Potrebbe darsi» rispose la governante. «Se lascio qualcosa su un tavolo e le dico 'Si serva pure', ha tutti i diritti di farlo.»

«E se prendo tutto quel che c'è?» obiettò Isabel. «Se mi portassi una valigia e la riempissi di cibo? Cibo sufficiente per una settimana?»

«Sarebbe un'azione egoista» rispose Grace.

Isabel annuì. «Decisamente. Ma l'egoismo è sbagliato, o è solo qualcosa che la persona retta dovrebbe evitare?» Ci pensò un momento. «Forse la risposta è che l'invito a servirsi è soggetto a implicite limitazioni. È sottinteso 'Serviti di quanto ti serve'.»

«Per la colazione» aggiunse Grace. «'Serviti di quanto ti serve per la colazione.'»

«Proprio così» concordò lei. «Non so bene fin dove si possa arrivare parlando dell'etica del buffet, ma presenta alcuni problemi piuttosto interessanti. Scrivo io a Julian o preferisce rispondergli lei?»

Grace si mise a ridere. «Lei, lei. Non mi ascolterebbe nessuno.»

«Al contrario» disse Isabel.

Grace passò in rassegna le altre lettere. «Non credo. Perché dovrebbero? Per loro sono solo la donna delle pulizie.»

«Non è così» obiettò Isabel, ferma. «È la governante. C'è differenza.»

«La gente non la pensa così.»

«Ci sono state governanti di grande talento, famosissime» aggiunse Isabel.

Grace si mostrò interessata. «Davvero? E quali?»

Isabel guardò il soffitto in cerca di ispirazione. «Be'...» cominciò. Poi ripeté: «Be'...» L'aveva detto senza pensarci e ora, facendo mente locale, non ne trovava neppure una. Chi erano quelle misconosciute eroine del lavoro domestico? Ce ne dovevano essere state molte, ma in quel momento riusciva a farsi venire in mente solo la donna che aveva usato i manoscritti di Carlyle per accendere il camino. Era una cameriera, quella, oppure era anche lei una governante? Faceva differenza? Ci pensò su brevemente, per decidere poi che non stava venendo a capo di nulla: la pila della posta inevasa era praticamente alla stessa altezza di quando si era messa a pensare ai buffet, ai panini e alle governanti.

Guardò la lettera successiva, posandola ancor prima di averla aperta. Tornò a considerare l'idea di un numero speciale sull'etica alimentare. Uno degli articoli sarebbe stato dedicato ai problemi morali del cioccolato: più ci pensava, maggiori diventavano gli spunti filosofici offerti da quell'alimento, che metteva a fuoco perfettamente la questione dell'*akrasia*, ossia della debolezza della volontà. Se sappiamo che il cioccolato ci fa male – e per certi versi è così: per esempio, ci fa ingrassare – come mai finiamo per mangiarne troppo? C'è da pensare che sia un caso di volontà debole. Se mangiamo il cioccolato, però, dev'essere perché pensiamo che sia nel nostro interesse: la volontà ci spinge a fare ciò che sappiamo ci arrecherà piacere. Quindi, la nostra volontà non è debole. Anzi, è decisamente forte, visto che ci invita a fare ciò che desideriamo davvero... e cioè strafogarci di cioccolato. Non era una questione semplice.

Quel giorno lavorò intensamente fino alle tre del pomeriggio. Poi telefonò ad Angus Spens, al numero dello «Scotsman». Il giornalista non era in ufficio, ma la richiamò un quarto d'ora dopo, mentre Isabel era in cucina a prepararsi una tazza di tè.

«Ti ho visto l'altro giorno» gli disse. «Stavi salendo in taxi davanti all'ufficio. Eri elegantissimo, con quel soprabito nero, Angus. Sul serio.»

«Stavo andando a intervistare un altro sedicente erede degli Stuart» rispose lui. «Ogni tanto ne spunta uno, che dice di essere un discendente del bel principe Carletto Edoardo o di suo padre. Immaginateli: personaggi pittoreschi.»

«Scombinati?»

«Alcuni sì» confermò Angus. «Il problema, come sicuramente sai, è che il principe Carlo Edoardo non ebbe eredi legittimi. Suo fratello cardinale condusse un'esistenza spensierata da scapolo. Morì in tarda età, ma non proprio circondato da discendenti. E lì finì la linea diretta degli Stuart. L'avrai studiato a scuola, no? A me l'hanno ripetuto fino alla nausea.»

«Ma non tutti ci credono, vero?»

Il giornalista rimase in silenzio per qualche istante. Poi sospirò. «Uno dei problemi di questo mestiere è che ti contatta moltissima gente convinta che la realtà sia diversa da quella che ci viene raccontata. Ne sono certi. I sedicenti Stuart sono tra questi. Alcuni sono persone ragionevolissime che credono davvero di avere un'ascendenza reale e, a sostegno della loro tesi, portano della documentazione. Altri sono solo ciarlatani, anche se ogni tanto ne salta fuori uno che sembra avanzare pretese più fondate. Questo era un italiano che ha tartassato per anni Lord Lyon con le sue carte. Hanno concluso che perlomeno era chi dice di essere, e che c'erano tracce interessanti da seguire, qualsiasi cosa significhi.»

«E allora?»

«Come interlocutore si è rivelato molto gradevole. Modesto. Affascinante. E vuoi sapere una cosa? Ha una somiglianza impressionante con Giacomo VI. Mi sembrava di avere davanti proprio il vecchio re di Scozia e Inghilterra. Più per la struttura ossea che per i colori, ma gli zigomi e gli occhi erano quelli. Ero stupefatto.»

«Ne sono passate di generazioni» fece notare Isabel.

«Sì, ma l'aria di famiglia si tramanda nei secoli. Comunque, mi sono trovato lì, traboccante di entusiasmo giacobita. Mi sono chiesto se pensava che i clan delle Highlands sarebbero insorti nuovamente, nel caso Lord Lyon si fosse pronunciato a suo favore.»

«Che esperienza romantica.»

«Giacomino VI, tra l'altro, era un sovrano interessante. Era un intellettuale. E probabilmente bisex... o per meglio dire, monarca dalla duplice corona.»

«Sei sempre spiritoso, Angus» disse Isabel seccamente. Poi scoppiò a ridere. «Non ti sarebbe piaciuto andare a cena con lui?»

Angus si mostrò recalcitrante. «Sarebbe stato molto rischioso andare a cena con qualunque sovrano scozzese. Almeno, fino ai tempi più recenti, sempreché si vogliano definire scozzesi gli Hannover. No, non credo che sarebbe stata una buona idea. Ricordati di Darnley, e di quel che successe a Rizzio.»

Isabel non era disposta ad arrendersi. Rizzio, il segretario italiano di Maria Stuarda, era stato assassinato a Edimburgo sotto gli occhi della regina da un gruppo di uomini armati. Tra gli assassini c'era Lord Darnley, si mormorava, il marito della regina, folle di gelosia. A parere di Isabel, però, gli indizi a favore di questa teoria erano deboli.

«Che prove hai, Angus?» gli disse con tono di sfida. «Non puoi andare in giro a diffamare le persone in questo modo. Fai un gran torto a Darnley.»

Angus si mise a ridere. «Come fai a dire così? È successo nel... quando? Nel millecinquecentosessanta e qualcosa. Come si fa a fare un torto a una persona che non c'è più da quattrocento anni e passa? Dai.»

Isabel si sentì nuovamente in dovere di protestare. Guarda caso, le interessava come problema filosofico: si può fare del male ai morti? Sull'argomento c'erano posizioni disparate... ma forse non era il momento di discuterne.

«Credo che dovremo dedicarci a Lord Darnley in un'altra occasione» disse. «Anzi, mi piacerebbe discutere con te le circostanze esatte della sua, di morte, o del suo assassinio, per essere più precisi. Ho delle opinioni in merito, sai.»

Isabel sentì un sospiro all'altro capo della linea. «Ah be', Isabel! Allora sei in grado di risolvere quel mistero. Sarebbe uno scoop. Concedi l'esclusiva allo 'Scotsman'?»

«Dipende, se fai il bravo» rispose lei. «Senti, Angus, non ti ho chiamato per parlare di storia scozzese. Ho bisogno di un favore.»

Angus parve sorpreso. «Pensavo me ne dovessi già... Ti ricordi...»

«Non stiamo a sottilizzare» si affrettò a dire Isabel. «Un favore piccolo piccolo. Un nome, tutto qui.»

Gli spiegò cosa le serviva, e il giornalista la ascoltò in silenzio. Secondo lei non sarebbe stato difficile: sicuramente aveva dei contatti presso i servizi sanitari o l'ospedale. Non aveva dei favori da farsi ricambiare?

«Guarda caso, sì» rispose Angus. «C'è un certo dottore che ha ricevuto articoli molto favorevoli da parte nostra, quando è dovuto comparire davanti alla Commissione generale della sanità in seguito a un reclamo. Mi è dispiaciuto sinceramente per lui, perché pensavo fosse dalla parte della ragione, mentre altri giornali l'hanno attaccato senza pietà. Me ne è stato molto grato.»

«Allora chiediglielo» disse Isabel.

«D'accordo, ma non insisto se non mi sembra disponibile.»

Si misero d'accordo: Angus l'avrebbe richiamata, che scoprisse qualcosa oppure no. Riattaccarono e Isabel tornò a prepararsi il tè. Le piaceva mischiare l'Earl Grey e il Darjeeling. Da solo, il primo le pareva troppo odoroso; l'aggiunta del Darjeeling ne attenuava il profumo. Fiori e fumo, pensò, e per un momento si chiese cosa bevesse Maria Stuarda. Si annotò mentalmente di chiederlo alla sua amica Rosalind Marshall di Morningside: sulle regine di Scozia era un'enciclopedia ambulante e aveva scritto diversi libri sull'argomento. Povera Maria, che aveva passato tanto di quel tempo rinchiusa in questo o quell'altro castello, tutta presa dai suoi intricati ricami francesi. O intenta a scrivere lettere, lettere decisamente toccanti. All'epoca l'usanza di bere la cioccolata si era già diffusa in Spagna, ma probabilmente non era giunta fino alla corte scozzese. Il tè non era arrivato fino all'inizio del diciassettesimo secolo, calcolò. Perciò le sue bevande, allora, dovevano essere una specie di infuso d'erbe, anche se pensava che non le scegliessero per piacere. Per quello c'era il vino francese. Fumo e fiori, i sapori dell'esilio, e di una Scozia i cui echi si potevano ancora sentire, di tanto in tanto, nella cadenza di una voce, in un'antica parola scozzese, nell'ombra che passava su un volto, in un gioco di luci.

Angus la richiamò, come promesso, ma molto prima di quanto lei s'aspettasse. Aveva finito la seconda tazza di tè e la stava portando al lavello, quando squillò il telefono.

«Ecco il nome» le disse. «Macleod. È quello che cercavi?»

Isabel rimase immobile. La tazza vuota, che teneva nella sinistra, si inclinò, lasciando cadere sul pavimento qualche goccia avanzata.

«Isabel?»

Ci aveva riflettuto. Bevendo la seconda tazza di tè aveva pensato a qualcos'altro che Angus le aveva detto. Gli chiese un altro nome. «Grazie. Prima di riattaccare, Angus... quell'italiano che hai intervistato, come si chiama?»

«Ha uno di quei cognomi lunghi, da aristocratico italiano» rispose il giornalista. «Io lo chiamavo semplicemente Tommaso.»

19

Isabel uscì di casa e s'incamminò di buon passo lungo Merchiston Crescent, diretta a Bruntsfield. Mancava poco alle sette, ed erano passate più di tre ore da quando aveva ricevuto la telefonata di Angus con quelle due sorprendenti informazioni. A tre ore di distanza non riusciva ancora a pensare ad altro, e aveva voglia di parlarne con qualcuno. Era stata combattuta: doveva chiamare Jamie? Alla fine aveva deciso di sì, anche se le rimaneva qualche dubbio. Anche se voleva un consiglio da lui, il giovane la sua opinione gliel'aveva già espressa il giorno prima, durante la passeggiata che li aveva portati fino a Holyrood. Gliel'aveva detto chiaro e tondo: non c'era nient'altro che lei potesse fare, e certo non aveva altri doveri. Questo, però, era stato prima che Angus le desse le nuove informazioni. Adesso, era cambiato tutto. Rose le aveva deliberatamente nascosto il fatto che suo figlio era stato il donatore. Ciò faceva pensare, aveva concluso lei, che avesse qualcosa di più importante da nascondere. La spiegazione più probabile era che Rose fosse a conoscenza del ruolo avuto da Graeme nella morte di suo figlio e avesse deciso di proteggerlo. Se ciò era vero, Isabel pensava di non dover provare nessun rimorso nel fornire alla polizia le informazioni in suo possesso, così com'erano. Non correva più il rischio di rovinare la relazione tra i due sulla base di una semplice illazione.

Si sentiva sollevata. Poteva compiere il suo dovere e poi ricominciare a occuparsi degli affari suoi. Prendere la decisione di agire in un certo modo, però, non era tanto semplice, se lo si doveva fare senza parlarne con nessuno. E l'unica persona con cui poteva discuterne appieno era Jamie. Nessun altro ne era a conoscenza, tranne ovviamente Ian, ma dopo lo spavento che le aveva fatto prendere al Sandy's Bell, quando lo stress l'aveva fatto vacillare, non voleva sottoporlo a situazioni ansiogene.

Toccava a Jamie, insomma, il quale per fortuna era libero per cena.

Al telefono era stata sincera. «È un'invito interessato» gli aveva spiegato. «Ho una cosa da chiederti. Non voglio dilungarmici, ma ho bisogno del tuo consiglio.»

«Riguarda...»

«Sì» l'aveva interrotto. «Quella storia.»

Si era aspettata un sospiro, o addirittura che brontolasse, ed era stata colta di sorpresa dalla sua risposta immediata. «Va bene. In effetti, volevo parlartene anch'io.»

Isabel non aveva fatto mistero del suo stupore. «Davvero?»

«Sì. Ma ne parliamo a cena. Hanno suonato alla porta. Il terzo adolescente del giorno, quello che cerca di suonare il fagotto mentre mastica il chewingum. Ti pare possibile?»

A Isabel era venuto in mente Tommaso e la notizia che le era stata rivelata da Angus Spens. «Ormai mi pare possibile qualsiasi cosa» aveva risposto. «Davvero.»

Andò in città a piedi, attraversando i Meadows, controcorrente rispetto alla fiumana di studenti che tornavano dall'università. Camminavano a coppie o a gruppetti di tre, immersi in animate conversazioni, e Isabel ripensò per un attimo a come mai anche lei avesse fatto la stessa identica cosa di quei ragazzi, camminando con le sue compagne, immersa nelle stesse conversazioni, con la stessa intensità. Ovviamente pensavano che le uniche persone interessanti, quelle che contavano davvero, avevano sui vent'anni o giù di lì. Ne era stata convinta anche lei. E adesso? Le persone dell'età di Isabel, che aveva passato da poco i quaranta, pensavano che il mondo fosse composto solo di gente sulla quarantina? Lei no. Era quella la differenza, si disse: chi ha vent'anni non sa cosa si prova ad averne quaranta, mentre è vero l'inverso. Era un po' come parlare di un paese straniero con chi non c'era mai stato. Poteva anche essere disposto ad ascoltare, ma per lui il luogo di cui si parlava non era reale. Piace a tutti sentire raccontare com'è l'Argentina, ma è difficile provare sentimenti per quel paese finché non ci si va.

Il problema di essere me stessa, pensò Isabel mentre attraversava il George IV Bridge, è che continuo a pensare al problema di essere me stessa. I suoi pensieri prendevano continuamente nuove direzioni, esplorando, saggiando e persino fantasticando. Aveva il sospetto che la maggior parte delle persone non si comportasse in quel modo. In effetti si era chiesta spesso a cosa pensassero gli altri mentre camminavano per le vie di Edimburgo. Avevano le stesse sue preoccupazioni: cosa si aveva il dovere di fare, cosa ci si doveva permettere di pensare? Era sicura di no. Quando aveva chiesto a Cat a cosa pensava la mattina, quando andava da casa sua alla gastronomia, la nipote le aveva risposto semplicemente: «Al formaggio».

Isabel era rimasta di stucco. «Sempre? Il formaggio ti dà così tanto da pensare?»

Cat ci aveva riflettuto su un momento prima di rispondere. «Be', non solo il formaggio, direi. Penso agli altri prodotti della gastronomia. Alle olive, suppongo. Qualche volta al salame.»

«Insomma, pensi al lavoro» aveva concluso Isabel.

Cat aveva fatto spallucce. «Credo di sì. A volte però la mente vaga. Penso alle mie amiche. A come mi dovrei vestire. A volte penso agli uomini, persino.»

«E chi non ci pensa?» aveva risposto Isabel.

Cat aveva inarcato un sopracciglio. «Tu?»

«Non sono diversa dagli altri» aveva detto lei. «Anche se a volte, in effetti, penso...»

Cat era scoppiata a ridere. «Credo che se si scrivessero tutti i pensieri di una giornata, salterebbe fuori davvero una bella lista.»

«Sì. E questo anche perché il linguaggio non è in grado di descrivere tutti i nostri pensieri. Non sempre pensiamo a parole, con un unico lungo soliloquio. Non ci diciamo mentalmente: 'Oggi devo andare in città'. Non usiamo queste parole, eppure possiamo prendere lo stesso la decisione di andare in città. Le azioni mentali e gli stati mentali non richiedono il linguaggio.»

«Perciò una persona che non ha mai imparato una lingua potrebbe pensare come noi?» Cat sembrava dubitarne. Come si faceva a sapere di dover andare in città se non si avevano le parole per esprimere «andare» e «città».

«Sì» aveva risposto Isabel. «Una persona del genere avrebbe delle immagini mentali. Delle sensazioni. Ricordi di quel che gli è accaduto e previsioni di quel che gli potrebbe accadere in futuro. L'unica differenza è che sarebbe difficile per lui comunicare, oppure annotarsele.»

Le venne in mente Compare Volpone, il quale, benché disponesse di un linguaggio fatto solo di ululati e guaiti, conosceva bene il pericolo e la paura e presumibilmente aveva ricordi ben precisi dei confini dei giardini cintati che costituivano il suo territorio. In diverse occasioni aveva guardato negli occhi Compare Volpone, quando si erano colti di sorpresa a vicenda, e nel suo sguardo aveva letto che la riconosceva. C'era un'intesa: lui doveva comportarsi con cautela nei confronti di Isabel, ma non esserne terrorizzato. Perciò la sua mente ospitava dei ricordi, e almeno una forma di muto pensiero, per noi imperscrutabile. Come doveva essere trovarsi nei panni di Compare Volpone? Solo lui conosceva la risposta, ma non era in grado di rivelarcela.

Isabel aveva prenotato un tavolo vicino alla vetrata principale del Café St Honoré. Dal punto in cui sedevano si vedeva la breve sezione ripida di acciottolato che si inerpicava fino a Thistle Street. Il ristorante era piccolo, perfetto per conversare davanti a una tavola imbandita, anche se la vicinanza degli altri avventori poteva essere un problema se ci si volevano scambiare confidenze private. Lì Isabel aveva sentito, senza volerlo, frammenti di pettegolezzi succosi. Per esempio, i termini dell'accordo di convivenza tra un dottore di grido e la sua fidanzata, molto più giovane di lui: a lei spettava metà della casa e un conto in banca indipendente. La fonte era l'avvocato del dottore che raccontava la cosa alla propria fidanzata, la quale insisteva per sapere ogni dettaglio. Isabel aveva distolto lo sguardo, ma non poteva certo ficcarsi le dita nelle orecchie. A un certo punto si era girata a fissare con aria di rimprovero l'avvocato, che conosceva, ma per tutta risposta aveva ricevuto un allegro saluto con la mano, anziché uno sguardo contrito.

Jamie esaminò il menu, mentre Isabel guardava con discrezione gli altri avventori. I suoi amici Peter e Susie Stevenson, che cenavano in compagnia di un'altra coppia, la salutarono con un cenno della testa, sorridendo. Al tavolo più vicino, da solo, l'erede di una grande casata scozzese gravata dal peso della storia e dei fantasmi sfogliava le pagine del libro che aveva portato con sé. Isabel gli diede un'occhiata e provò un moto di simpatia: ognuno sta solo nella sua solitudine, si disse. E io, fortunata che sono, posso venire qui in compagnia di un bel ragazzo, e non m'importa niente se chi mi guarda pensa: «Quella donna è uscita a cena con il suo giovane amante». Ma subito le venne in mente un'altra cosa: forse non è questo che pensano. Forse si dicono: «Vecchia pedofila».

Era un pensiero fastidioso e triste. S'impose di levarselo dalla testa e guardò Jamie, seminascosto dal menu. Quando era entrata nel ristorante l'aveva trovato già al tavolo, di buonumore. Si era alzato in piedi, sorridendole, e si era chinato a darle un rapido bacio sulla guancia: lei si era emozionata, ed era arrossita, anche se era solo un bacio da amici.

Jamie le sorrise. «Ho ricevuto una buona notizia. Non vedevo l'ora di parlartene.»

Lei posò il menu. La cernia agli asparagi poteva attendere. «Un contratto discografico?» azzardò, prendendolo in giro amabilmente. «Ti fanno fare un disco?»

«Quasi. Sì, quasi.»

Le piombò addosso un improvviso timore. Aveva trovato una nuova fidanzata, si sarebbe sposato e per lei sarebbe stata la fine. Sì, era così. L'ultima cena. Con la coda dell'occhio guardò l'uomo con il libro, al tavolo da single. Le sarebbe toccata quella sorte d'ora in poi: seduta a un tavolo da sola con una copia di *Coscienza. Che cos'è* di Daniel Dennett aperta di fronte a sé, con le saliere e i piattini di burro come unica compagnia. E l'oliera, naturalmente.

«Non credo di averti detto che ho fatto un'audizione» le raccontò Jamie. «Anzi sono sicuro di non avertene parlato. Non volevo essere costretto a dirti che non mi avevano preso. Questione d'orgoglio, mi sa.»

L'ansia lasciò il posto al sollievo. Le audizioni non erano un pericolo. A meno che...

«Per la London Symphony» aggiunse lui.

Per un istante Isabel non reagì. La London Symphony stava a Londra.

«Be'» riuscì a esclamare alla fine, con uno sforzo titanico. «Bene.» Era un commento troppo scialbo? Decise di sì, visto che voleva nascondere l'improvvisa disperazione che le era crollata addosso. «Ma è meraviglioso!»

Jamie si appoggiò allo schienale, contento come una pasqua. «Avevo una paura folle. Sono andato a Londra in giornata, l'audizione era a mezzogiorno. C'era anche una decina di altri fagottisti. Uno mi ha mostrato il suo CD, appena uscito, con tanto di foto sul retro. Per poco non pianto lì tutto all'istante.»

«Un vero calvario.» Non riuscì a metterci anche il punto esclamativo. Era troppo abbattuta.

«Sì. Finché non ho cominciato a suonare.» Alzò le braccia al cielo. «Mi è venuta l'ispirazione... non so da dove. Io stesso quasi non ci credevo. Che suono sono riuscito a tirar fuori!»

Isabel abbassò gli occhi sul tavolo, guardando forchette e coltelli. Me lo dovevo aspettare, si disse. Era inevitabile che lo perdessi, assolutamente inevitabile. Ma quando si perde un amico, qual è la cosa giusta da fare? Piangerne la perdita, oppure godersi i ricordi dell'amicizia? La seconda, certo, ne era consapevole: eppure era difficile comportarsi in modo corretto, lì al Café St Honoré, quando nel petto si aveva un cuore pesante come una pietra.

Jamie proseguì nel racconto. «Ci hanno detto che non avrebbero preso una decisione immediata, invece mi hanno chiamato in giornata, proprio mentre stavo salendo sul treno per tornare a casa. Dicendo che avevano scelto me.»

«Non mi sorprende affatto» disse lei. «Sei sempre stato un ottimo musicista, Jamie. L'ho sempre saputo.»

Il giovane parve imbarazzato dal complimento, e fece un gesto con la mano come per scacciare quel pensiero. «Be', possiamo parlarne più tardi. E tu?»

«Ho lavorato. Alle cose che avevo da fare e...»

Jamie alzò gli occhi al cielo, con aria di finto rimprovero. «E anche a quelle che avresti dovuto lasciar perdere, eh?»

«Lo so» intervenne Isabel. «So cosa stai per dirmi.» Pensò a come sarebbero andate le cose, una volta partito Jamie, quando non avrebbero più potuto conversare così. Si sarebbe lasciata coinvolgere in quelle che amava chiamare «le sue questioni», senza nessuno a cui sottoporle, nessuno che la consigliasse? Ecco cosa avrebbe voluto dire per lei la perdita di Jamie.

Il giovane prese il bicchiere d'acqua che il cameriere gli aveva portato. «Sì, ma non lo dirò. Anzi, ho da darti un'informazione che spero potrà...»

Isabel allungò una mano a toccarlo sul braccio. «Prima lascia che ti racconti una cosa. So che pensi che dovrei lasciar perdere la questione. So che secondo te ho preso una via completamente sbagliata. Lo so. Ma oggi ho parlato con quel giornalista che abbiamo visto mentre eravamo insieme. Te lo ricordi?»

«Quello con cui hai fatto il bagno?»

«Proprio lui. Ti ricordo, però, che eravamo bambini, e molto piccoli. E la vasca era grandissima, a quanto rammento. Comunque, grazie ai suoi contatti in campo medico ha scoperto il nome del donatore. È Macleod.»

Abbassò la voce sull'ultima informazione, anche se nessuno era in grado di sentirli, a parte forse l'uomo immerso nella lettura del libro. L'erede del casato però non conosceva Isabel, che invece sapeva benissimo chi era lui, ed era certa che non fosse tipo da mettersi a origliare.

Si aspettava che quella rivelazione producesse un certo effetto su Jamie, ma la reazione del giovane fu pacata. Anzi, si limitò a sorridere e annuire, dicendo: «Ah, è così».

Isabel si chinò verso di lui. «Macleod» ripeté. «Macleod. Vuol dire che la madre mi ha mentito. E anche che Graeme, il suo compagno, potrebbe essere davvero l'uomo che Ian continua a vedere... sempre che veda davvero qualcuno. Ma per ora diamo per buono che sia così.»

Jamie accolse anche questa notizia senza fare una piega. «Sì. Macleod.»

Isabel si stava irritando. «Non sembri minimamente sorpreso» mormorò, riprendendo il menu. «Va bene, non ti voglio annoiare. Cambiamo argomento.»

Jamie fece un gesto conciliante. «Scusami, ma in effetti è vero: non sono sorpreso. Il motivo è che... be', so già che è un Macleod. Ma non è quello che pensi tu.»

Isabel lo fissò senza capire. «Non ti seguo.»

Jamie bevve un altro sorso d'acqua. «Quando ci siamo separati dopo la matinée, ho deciso di fare un salto alla biblioteca del George IV Bridge. Ho sfogliato l'Evening News' della settimana in questione, come avevi fatto tu. E ho scoperto una cosa che temo ti sia sfuggita. Non sto cercando di fartela pesare...»

«Hai scoperto qualcosa di nuovo sull'incidente?»

Jamie scosse il capo. «No. Non ha niente a che vedere con l'incidente. È una morte completamente scollegata: un ragazzo. Confuso tra gli altri necrologi, lo stesso giorno.»

Già, si disse Isabel. Era stato un errore marchiano da parte sua. Avrebbe dovuto controllare se c'erano altri giovani che erano morti quel giorno nella zona di Edimburgo. Non l'aveva fatto, eppure... Le venne in mente che comunque Angus aveva confermato che il nome del donatore era Macleod. Perciò aveva ragione lei: anche se lo stesso giorno era morto un altro giovane, il donatore era il figlio di Rose.

«Ma sappiamo che il donatore si chiamava Macleod» disse, sulla difensiva. «Questo fa pensare che la mia deduzione iniziale fosse corretta.»

«Anche l'altro ragazzo si chiamava così» disse Jamie, semplicemente. «Due Macleod.»

Lei rimase a bocca aperta a fissarlo. «Tutti e due...»

«Hai presente quelle barzellette su certe isole delle Ebridi dove tutti si chiamano Macleod?» disse Jamie con tono scherzoso. «Ecco, a Edimburgo non è proprio così, ma di Macleod ce ne sono parecchi. Si dà il caso che due Macleod siano morti lo stesso giorno. L'altro, Gavin, viveva poco fuori città, a West Linton. Il necrologio riportava il nome della madre, Jean, e quello di un fratello e una sorella più piccoli. Del padre non si faceva menzione. Ho cercato J. Macleod sull'elenco del telefono e ce n'è uno a West Linton. Ecco la risposta.»

Finì il discorso e tornò ad appoggiarsi allo schienale. Poi allargò le mani, con i palmi all'insù, con un gesto conclusivo, come a dire «il caso è chiuso». Inclinò la testa, con fare interrogativo. «Lascerai perdere, adesso? Non vuoi accettare che le coincidenze esistono? Che ci sono cose inspiegabili, oppure semplicemente prive di senso, come le visioni da parte dei trapiantati di cuore? Non riesci a fartene una ragione?»

In quell'istante Isabel prese una decisione. «No. A tempo debito, forse, ma per ora no. Mi piacerebbe saperne di più. Come è morto il tuo Macleod?»

«L'annuncio funebre diceva che era morto in pace, a ventidue anni di età. 'Dopo una malattia affrontata con coraggio', erano queste le parole precise. Niente incidente, insomma. Nulla del genere.» Si interruppe. «Questo renderebbe superfluo il famoso uomo dalla fronte alta, no?»

Isabel capì di avere molto su cui riflettere, ma per il momento non avrebbe detto altro a Jamie, perché lui non avrebbe fatto che consigliarla di tenersi lontana da affari che non la riguardavano. Era evidentemente soddisfatto della sua scoperta, che faceva sembrare Isabel un po' affrettata. Si godesse pure il suo momento di trionfo, lei non se la sarebbe presa per questo. Ma Isabel doveva vederci chiaro, lo doveva a Ian. Sarebbe andata fino in fondo.

Ignorò la domanda. Se l'uomo con la fronte alta era proprio Graeme, era difficile capire cosa c'entrasse. Poteva non essere lui, però. La somiglianza con l'uomo visto da Ian poteva essere una semplice coincidenza, una di quelle evenienze assai improbabili che si verificavano solo per ricordarci che il caso esiste. E l'irritazione di Graeme nei suoi confronti si basava semplicemente sul presupposto che lei stesse interferendo in cose che non la riguardavano. Come dargli torto? No, Graeme ormai era irrilevante.

«Be', mi hai dato qualcosa su cui riflettere» disse a Jamie. «Grazie. Adesso forse possiamo chiamare il cameriere e ordinare. Abbiamo altro di cui parlare. La London Symphony, per esempio.»

Jamie era raggiante. «La London Symphony! Fantastico, vero?»

Isabel abbozzò un sorriso. Forse sono riuscita a fare un sorriso al rovescio, si disse, uno di quelli fatti a labbra in giù. Un sorriso mesto, pieno di rimpianto e di tristezza.

«Dove andrai a stare a Londra?» gli chiese. «Non che ne sappia molto. La geografia londinese me la confondo facilmente. A nord o a sud del fiume? Non c'è anche gente che abita proprio *sul* fiume? Londinesi, newyorkesi e metropolitani in genere sono così pieni di risorse. Vivono in certi antri e in tutti gli angoli possibili. La regina, per esempio: lei abita nel retro del palazzo...»

Jamie tagliò corto. «Ci sono persone che vivono nelle case galleggianti, ne conosco una. Vita umida. Ma io non vado a stare a Londra.»

«Fai il pendolare?» chiese Isabel. «E se i concerti finiscono tardi? Ci sono i treni notturni? E se ti metti a parlare con gli altri pendolari? Se il silenzio ti opprime? Sai che c'è gente che muore di noia nei dintorni di Londra? È la seconda tra le cause di morte per gli inglesi. Una noia mortale...»

«Non ci vado, Isabel» disse lui. «Scusa, te l'avrei dovuto dire da subito. Non accetto il posto.»

Le ci volle un momento per reagire alle sue parole. La prima emozione che provò fu la gioia: non l'avrebbe perso, allora. Pura gioia.

«Ne sono felice» commentò. Poi, correggendosi, aggiunse subito: «Ma perché? Perché hai partecipato all'audizione se non volevi il posto?»

Jamie le spiegò che, sì, il posto lo voleva, e che aveva passato metà del viaggio di ritorno in treno a pensare a quando trasferirsi, a dove andare a stare e via dicendo. L'altra metà, da York in poi, l'aveva passata a prendere la decisione di rifiutare.

«Arrivato a Edimburgo, avevo scelto» concluse. «Ho deciso di rimanere.»

Il tono non ammetteva ripensamenti. Isabel esitò un istante. La cosa più semplice sarebbe stata dire che le sembrava una buona idea, senza aggiungere altro. Ma era curiosa di sapere perché aveva cambiato idea. Poi le venne in mente. Cat. Non avrebbe lasciato Edimburgo finché aveva la speranza che Cat potesse cambiare idea.

«È per via di Cat» gli disse, con voce pacata. «È per questo, vero?»

Jamie la guardò negli occhi, poi distolse lo sguardo, imbarazzato. «Forse. Forse...» Non finì la frase. Poi riprese: «Sì. È per questo. Quando ho affrontato la questione, sul treno, ho deciso. Non voglio lasciarla, Isabel. Non voglio».

Dalle vette della gioia che aveva provato all'annuncio che Jamie non sarebbe andato a Londra, Isabel sprofondò negli abissi del dubbio. Per l'ennesima volta il problema stava nel fatto che era una filosofa, dedita a coltivare il senso del dovere e degli obblighi morali. Da un punto di vista meramente egoistico non avrebbe dovuto dire nulla; ma Isabel non era egoista. Perciò si sentì obbligata a dire a Jamie che non doveva rinunciare a un'occasione importante nella speranza – vana, glielo doveva far capire – che Cat tornasse da lui.

«Non si rimetterà con te, Jamie» gli disse con dolcezza. «Non puoi passare la vita ad aspettare qualcosa che non succederà mai.»

Ogni sillaba di quel consiglio andava contro i suoi desideri. Lei avrebbe voluto che Jamie rimanesse; che le cose restassero com'erano; l'avrebbe voluto tutto per sé. Ciononostante, sapeva di dover dire l'opposto di quello che desiderava.

Capì che le sue parole stavano facendo effetto: il giovane rimase muto a fissarla, strabuzzando gli occhi. La luce che aveva nello sguardo sembrò spegnersi, cambiando aspetto. Cos'è la bellezza, si disse lei, se non la promessa della felicità, come aveva detto Stendhal? No, era di più. Era il balenare di quel che poteva essere una vita priva di disarmonia, di perdite. Priva della morte. Avrebbe voluto allungare la mano a toccargli una guancia, mormorando: «Jamie, mio bellissimo Jamie». Ma, ovviamente, non poteva. Non poteva dire ciò che voleva, né fare ciò che desiderava. È il destino dei filosofi, e anche di quasi tutti noi, se siamo sinceri con noi stessi.

Quando Jamie tornò a parlare, lo fece a bassa voce. «Stanne fuori» affermò, digrignando i denti. «Pensa agli affari tuoi.»

Lei trasalì, colpita dalla veemenza con cui aveva parlato. «Mi dispiace» rispose. «Cercavo solo di...»

«Taci, per piacere» ordinò lui, alzando la voce. «Sta' zitta.»

Le sue parole la ferirono, e restarono sospese nell'aria. Preoccupata, Isabel guardò in direzione del tavolo accanto. Non c'era segno che la conversazione fosse stata udita, ma l'uomo del libro doveva aver sentito tutto.

Poi Jamie spinse indietro la sedia, con gran rumore, e si alzò. «Mi dispiace» si scusò. «Non mi va proprio di cenare, stasera.»

Isabel non riusciva a crederci. «Te ne vai?»

«Sì, scusami tanto.»

Rimase da sola al tavolo, raggelata dall'imbarazzo. Il cameriere venne subito e rimise con discrezione la sedia di Jamie sotto il tavolo. Le rivolse uno sguardo di simpatia. Poi le si fece accanto Peter Stevenson, che aveva attraversato in silenzio il ristorante, e si chinò a sussurrarle: «Vieni al nostro tavolo. Non possiamo lasciarti cenare da sola».

Isabel lo guardò, grata. «Credo che per me la serata sia ormai rovinata.»

«Di sicuro il tuo amico non aveva motivo di andarsene a quel modo.»

«È colpa mia» rispose Isabel. «Ho detto qualcosa che non dovevo. Ho toccato un nervo scoperto, e non avrei dovuto.»

Peter le posò una mano sulla spalla. «Se ne dicono, di cose. Domani gli telefoni e aggiusti tutto. Vedrete la situazione sotto un'altra luce.»

«Non ne sono tanto sicura» rispose Isabel. Decise di dover dare qualche spiegazione. Al principio della serata la solleticava l'idea che gli astanti la immaginassero in compagnia del suo giovane amante, ma ora non sapeva bene cosa voleva lasciar credere.

«Siamo solo amici» spiegò a Peter. «Non vorrei che pensassi che c'è dell'altro tra noi.»

L'uomo sorrise. «Che delusione! Io e Susie stavamo giusto ammirando il tuo buon gusto in fatto di uomini.» La guardò con aria birichina. «Speravamo anche che volesse dire che stai meno ad arrovellarti su questioni di etica e ti diverti un po' di più.»

«Pare che non sia bravissima a divertirmi» ribatté lei. «Comunque, grazie del consiglio.» Esitò. Sì, aveva ragione Peter, doveva divertirsi. E allo scopo, be', c'era Tommaso. Poteva pensare a lui, e alla gita che avevano programmato: un momento di... che cosa? Di irresponsabilità? No, avrebbe dovuto considerarla una decisione perfettamente razionale.

Peter accennò con il capo al suo tavolo. «Vieni» disse. «Unisciti a noi. Quelli sono Hugh e Pippa Lockhart. Si sono conosciuti suonando nella Really Terrible Orchestra insieme a noi. Lei suona la tromba meno peggio di lui... anzi, direi che è piuttosto brava. Ti staranno simpatici. Vieni.»

Isabel si alzò. Si poteva salvare il resto della serata, recuperare un briciolo di dignità. C'erano già state delle incomprensioni tra lei e Jamie, e l'indomani si sarebbe scusata con lui. Poi si ricordò chi era. La direttrice della «Rivista di etica applicata». Non era certo una ragazzina cotta come una pera, piantata in asso da un fidanzatino bizzoso. Era un pensiero rassicurante, e il suo umore migliorò. Aveva compiuto il suo dovere, fornendogli il consiglio che era moralmente obbligata a dare, e non aveva proprio niente da rimproverarsi. Inoltre, c'era quella notizia assolutamente magnifica: non se ne sarebbe andato da Edimburgo. Era come se fosse stato cancellato un avviso di «maltempo imminente». C'era stato un errore: l'inverno era annullato e si passava direttamente alla primavera.

Attraversò il ristorante per unirsi a Peter e Susie, senza fare caso ai furtivi sguardi di commiserazione da parte di chi aveva assistito alla brusca partenza di Jamie. Camminò a testa alta: non la voleva, la pietà. L'indomani si sarebbe potuta scusare con Jamie, ma non c'era motivo di chiedere scusa ai presenti. Era pettegola, Edimburgo. La gente avrebbe dovuto farsi gli affari suoi.

20

Le piaceva la strada che portava a West Linton, era sempre stato così. Risaliva serpeggiando il fianco delle Pentland Hills, costeggiando antiche case coloniche e pecore al pascolo, erte colline coperte d'erica e rupi di roccia calcarea, oltre Nine Mile Burn e Carlops; per tutto il tragitto, a sud-est, i Lammermuirs avvolti di foschia, azzurri in lontananza, accovacciati sull'orizzonte. Il viaggio le parve troppo breve per i pensieri che intendeva affrontare lungo la strada, e volentieri avrebbe sfidato il ridicolo, girando la macchina e tornando indietro per rifarlo da capo, in modo da prolungare il piacere. Ma aveva una missione. Doveva vedere Jean Macleod, alla quale aveva telefonato per chiedere un incontro. Devo parlarle di suo figlio, le aveva detto, del figlio che ha perduto, e la donna all'altro capo della linea era rimasta senza fiato per un momento, muta, prima di dirle che poteva andare a trovarla.

Il paesino di West Linton era abbarbicato sul fianco di una collina. La strada proveniente da Edimburgo faceva il giro alto, mentre il paese si sviluppava intorno al pendio del colle, nella parte inferiore. Sui due lati della strada sorgevano ville vittoriane, case con ampi giardini e serre, dai nomi tanto diffusi nelle piccole città scozzesi, che sapevano di *douce Scotland*, golf e atmosfere romantiche. Non era il mondo di Isabel; lei era di città, non di campagna, anche se sapeva che tutta la Scozia rurale era così. Ignorata dalle città, guardata con sussiego dai cittadini, eppure esisteva davvero. Una Scozia dai modi pacati, amichevole e riservata, in cui non accadeva molto, in cui una vita dagli orizzonti forse un po' ristretti scorreva priva di sussulti fino alla tomba. La si poteva vedere riassunta nei cimiteri locali, fedeltà e persistenza incise nel granito: THOMAS ANDERSON, FATTORE DI EAST MAINS, AMATO MARITO PER CINQUANTADUE ANNI... e via dicendo. Erano persone che avevano un posto nel mondo, sposate con quella terra sotto la quale alla fine sarebbero state sepolte. I morti di città venivano ridotti in cenere, fatti sparire senza lasciar traccia e infine dimenticati. Qui il ricordo era più duraturo. Sembrava valere di più. Era tutta una questione d'identità, si disse Isabel. Se le persone non ci conoscono, ovviamente contiamo di meno per loro. Qui, in questo paesino, tutti sapevano chi erano gli altri, ed era una differenza non da poco.

Svoltò, lasciando la strada principale, e imboccò lentamente la serie di curve che scendeva verso il paese. Ai due lati della strada stretta c'erano piccole costruzioni di pietra: case, negozi, e un minuscolo albergo. C'era una libreria gestita da una persona che conosceva. Sarebbe andata a farle visita, ma per il momento doveva trovare il Wester Dalgowan Cottage, per il quale aveva ricevuto indicazioni precise da Jean Macleod.

Era a poca distanza dalla strada che portava a Peebles e Moffat, una casetta costruita con la pietra grigia della valle, alla fine di un breve tratto di strada sterrata piena di buche. Dietro la casa, in direzione sud, si apriva una distesa di campi. Sul davanti un piccolo giardino incolto, soffocato dall'esuberanza dei rododendri, separava la casetta dalla strada. Una vecchia Land Rover, dipinta del verde petrolio delle auto da corsa inglesi, era parcheggiata all'esterno.

La porta d'ingresso si aprì mentre Isabel si avvicinava e Jean Macleod uscì a salutare l'ospite. Si strinsero la mano, un po' a disagio, e Isabel si accorse che la donna aveva la pelle ruvida e secca. Mani da contadina, pensò.

«Ha trovato la strada» disse Jean. «Spesso la gente ci supera e si ritrova sulla strada per Moffat.»

«Conosco un po' il paese. Ogni tanto vengo a trovare Derek Watson alla libreria. Questo posto mi piace.»

«Sta cambiando» commentò la donna. «Ma siamo abbastanza contenti. Un tempo era una cittadina importante, la nostra, sa? Quando ci passava il bestiame diretto nei Borders. Poi abbiamo dormito per un secolo o giù di lì.»

La fece entrare nella prima stanza del cottage, un salottino arredato con semplicità, ma accogliente. Sul tavolo, da un lato, erano impilati quotidiani e riviste. Isabel notò una copia della «Rivista del veterinario» e trasse le dovute conclusioni.

Jean aveva colto il suo sguardo. «Sì, sono veterinaria» confermò. «Collaboro con un ambulatorio vicino a Penicuik. Animali piccoli. Una volta mi capitavano moltissimi cavalli, ma ormai...» Non terminò la frase. Guardò dalla finestra, verso i campi dall'altra parte della strada.

Isabel aveva fatto tesoro della visita agli altri Macleod. Stavolta avrebbe parlato chiaro.

«Mi dispiace molto per suo figlio» cominciò. «Anche se non la conosco e non conoscevo neppure lui. Mi dispiace.»

Jean annuì. «Grazie.» Guardò Isabel, attendendo che proseguisse. Poi disse: «Immagino che lei faccia parte del gruppo di sostegno per la sindrome bipolare. Ha un figlio che ne soffre?»

Era chiara la natura della malattia a cui aveva fatto riferimento il necrologio del giornale.

«No» rispose Isabel. «So di cosa si tratta, ma non ho un figlio malato.»

Jean era perplessa. «Allora, scusi se glielo chiedo, ma perché è venuta da me?»

Isabel la guardò dritta negli occhi. «Sono qui perché casualmente sono entrata in contatto con una persona che ha subito un trapianto cardiaco.»

Dalla reazione di Jean fu chiaro che Jamie ci aveva visto giusto. Per un po' non disse nulla, quasi stesse cercando le parole. Poi si avvicinò alla finestra, rimanendo immobile, senza guardare Isabel, aggrappandosi alla mensola con tutt'e due le mani. Quando tornò a parlare lo fece a voce bassa, e Isabel dovette sforzarsi per riuscire a sentire.

«Avevamo chiesto riservatezza, l'abbiamo specificato. Non volevamo conoscerlo. Non volevamo prolungare questo tormento.»

Si girò d'un tratto, con la rabbia negli occhi. «Ho detto di sì. Potevano usarlo, il cuore. Però basta. Non volevo che l'altro mio figlio lo sapesse, e neanche mia figlia. Mi sembrava che sarebbe stato ancor più difficile per loro. Un'altra questione da affrontare: qualcuno portava dentro di sé un pezzetto del fratello. Una parte di lui era ancora viva.»

Isabel rimase in silenzio. Non doveva essere lei, pensò, a dire agli altri come affrontare una tragedia così intima. Nella letteratura sulla bioetica se ne poteva disquisire a piacimento, ma quelli che si riempivano la bocca con il dovere della sincerità e con la nobiltà del dono probabilmente non avevano mai perso un fratello.

Jean si risedette, fissandosi le mani. «Allora, cosa vuole da me?» le chiese.

Isabel attese un attimo prima di rispondere, ma quando Jean alzò gli occhi, parlò. Le raccontò della conversazione con Ian e dell'angoscia che lo pervadeva. «So che sembra una storia assurda» concluse. «In effetti, lei è una scienziata. Sa che i tessuti sono una cosa e che la memoria e la coscienza sono qualcos'altro. Sono consapevole che non ha senso. Ma quell'uomo, a cui suo figlio ha salvato la vita, prova davvero quel che dice di provare.»

Isabel stava per aggiungere dell'altro, ma Jean la fermò sollevando una mano. «È suo padre» disse lei seccamente. «La descrizione corrisponde a mio marito. Almeno, gli assomiglia.»

Era una ripetizione di quanto era successo prima, si disse Isabel. Le sembrava incredibile. Le coincidenze si accumulavano. Nomi. Volti. Tutto figlio del caso.

Jean si alzò in piedi e aprì il cassetto del tavolo dietro di lei. «Mio marito sarà il mio ex marito nel giro di pochi mesi, credo. Quando gli avvocati si daranno una mossa.» S'interruppe mentre sfogliava le carte. Poi tirò fuori una fototessera a colori, di quelle per le richieste di rilascio del passaporto e gliela porse. «Eccolo.»

Isabel prese la fotografia e la guardò. Un uomo dal viso gradevole e aperto la fissava dalla fotografia. Aveva la fronte alta e gli occhi un po' infossati. Cercò la cicatrice e non la vide, ma la foto era un po' sgranata. Gliela restituì e Jean la buttò nel cassetto.

«Non so perché la conservo» disse. «C'è un sacco di roba sua in casa. Prima o poi mi metterò a fare pulizia, suppongo.»

Chiuse il cassetto e si girò di nuovo a guardare Isabel. «Lei non sa com'è andata, vero? Non gliel'hanno detto?»

«So solo quel che le ho raccontato» rispose Isabel. «Non so niente di lei, né di suo figlio.»

Jean fece un sospiro. «Mio figlio non vedeva il padre da mesi, da quasi un anno, anzi. Quando Euan, mio marito, ci ha piantati, i due ragazzi si sono rifiutati di aver a che fare con lui. Erano arrabbiati. Pensavo l'avrebbero superato, e invece no. Quando il mio Gavin è morto – è stata la depressione cronica a ucciderlo, di sicuro, perché era molto giù quando si è tolto la vita – non vedeva suo padre da parecchio tempo, e non gli aveva più parlato. Erano in rotta. Sa, Euan non si è presentato neanche alla cerimonia funebre. Non è venuto al funerale di suo figlio.» Jean parlava lentamente, ma con tono controllato, guardando Isabel. «Immagino che si sentisse tremendamente in colpa e direi anche che mi dispiace per lui. Però è andata, ormai. Finita. E adesso deve tenersi i sensi di colpa.»

Guardò Isabel con aria disperata. «Non riesce a convincersi a chiedermi aiuto. Perciò è finita. Abita ancora in paese, sa. Dobbiamo cercare di evitarci. È veterinario pure lui. Per andare nel suo ambulatorio, fa il giro dalla parte opposta con la macchina anche se allunga la strada. Non riesce a guardare in faccia i figli.»

Isabel ritenne di non avere molto da dire. Si chiese, però, cosa ne pensava Jean delle affermazioni di Ian. Non aveva mostrato alcuna reazione, e Isabel suppose che le considerasse poco importanti.

«Spero non le sia dispiaciuto che sia venuta a raccontarle questa storia» disse. «Mi sento molto a disagio, ma sentivo di dover venire.»

Jean fece spallucce. «Non si preoccupi. Per quanto riguarda la storia in sé, be', la gente si immagina di continuo cose del genere, no? Io, però, temo di essere completamente razionalista. Non ho tempo per la paccottiglia esoterica.» Sorrise a Isabel: era una veterinaria con i piedi per terra, credeva nella scienza. «Signorina Dalhousie, temo di non aver mai creduto in nessuna forma di immortalità personale» proseguì. «La fine della coscienza è la fine di tutto. Per quanto riguarda l'anima, be', a colpirmi è che se ce l'abbiamo noi, devono avercela anche gli animali. Se noi sopravviviamo alla morte, perché non dovrebbe valere lo stesso anche per loro? Allora il paradiso, o come lo si voglia chiamare, sarà un posto affollatissimo, pieno di cani, gatti, vacche e tutto il resto. Le pare che abbia un senso? A me no.»

Normalmente Isabel avrebbe avuto diverse cose da dire sull'argomento. Non eravamo uguali agli altri animali, a suo parere: la loro coscienza era assai diversa dalla nostra. Però, non credeva neppure che i cani fossero delle mere macchine, come sosteneva Cartesio. Se l'idea di anima ha un significato, allora ci doveva essere una specie di anima canina. Un'anima amorevole. E se la coscienza sopravviveva in qualche modo, lei non riusciva a immaginarsela collegata a una forma corporea; se c'era un posto in cui era situata questa sopravvivenza, allora poteva a buon diritto essere pieno di anime canine, oltre che umane. Sull'argomento però era di vedute aperte. Aneliamo a Dio – molti almeno lo fanno – ma che importanza ha in realtà la forma che diamo all'idea del divino? A suo modo di vedere era un anelito al bene. Che male c'era nell'aspirare al bene nel modo che più aveva senso per ciascuno di noi? Grace si recava alle riunioni degli spiritisti; preti e vescovi celebravano i propri riti all'altare; c'era chi si bagnava nel Gange o andava in pellegrinaggio alla Mecca. Era indubbiamente frutto della stessa urgenza, che sembrava una componente della nostra stessa umanità impossibile da sradicare. Avevamo bisogno di luoghi sacri, come aveva sottolineato Auden nella sua poesia dedicata all'acqua: «Augurando, pensai, ai più umili tra gli uomini le loro/Figure di splendore, i loro luoghi sacri». Come sempre, un sentimento di tale generosità espresso con poche e belle parole.

Guardò Jean. Era sopravvissuta alla morte del figlio senza il conforto della religione. E per riuscirci, per evitare di arrendersi alla disperazione, doveva essere una donna forte, che credeva in qualcosa: che bisogna andare avanti nella vita, forse, oppure che bisogna resistere di fronte al vuoto e alla disperazione. Isabel sbirciò le mani di Jean, sicuramente rese ruvide dal sapone che doveva usare continuamente per lavoro. Si ricordò che quella donna di mestiere alleviava le sofferenze altrui: doveva farlo per altri motivi che non la semplice sopravvivenza. Era un altro scopo per cui vivere, anche se lei non se ne rendeva conto o non ne voleva parlare.

C'era ancora una cosa che Isabel voleva chiederle, e lo fece mentre si alzava in piedi per andarsene. Suo marito sapeva che il cuore del figlio era stato donato per il trapianto? No, disse Jean. Gli aveva detto della morte del ragazzo per telefono e poco altro. Non lo sapeva.

Sulla via del ritorno si fermò alla libreria del paese. Derek Watson la accolse calorosamente, facendole strada in cucina, dietro la sezione dei libri usati. Sul tavolo era aperto uno spartito, su cui stava orchestrando un arrangiamento, con le note scritte a matita. Mise il bollitore sul fuoco e tirò fuori alcuni biscotti contenuti in una scatola antica.

Isabel guardò l'amico. «Devi scusarmi, Derek» disse. «Sono venuta a trovarti, eppure non mi va di chiacchierare. Sono appena stata da Jean Macleod.»

Derek si bloccò dov'era, a metà strada tra la madia e il tavolo. Fece una smorfia. «Povera donna. Suo figlio era un frequentatore abituale del negozio» spiegò. «Gli interessavano i libri sulle Highlands. Glieli cercavo e lui li consultava qui dentro. Spesso lo trovavo che fissava fuori dalla finestra, di là dalla strada, in direzione della casa di suo padre. Stava lì seduto a fissarla.»

Isabel non commentò, ma disse: «Derek, ti spiace raccontarmi qualcosa mentre mi limito a star qui seduta ad ascoltarti? Parlami dei tuoi compositori, se ti va». Aveva scritto diverse biografie di musicisti.

«Se insisti. Capisco come ti senti, comunque. A volte anche io ho solo voglia di ascoltare.»

Isabel si sedette. Derek raccontò che stava lavorando a un'apologia dell'opera di Giacomo Meyerbeer.

«È impressionante» disse. «Nel diciannovesimo secolo Meyerbeer era acclamato da più parti come uno dei nomi più illustri del *grand-opéra*. Poi di colpo, puf! Cadde in disgrazia. E mi dispiace dover dire che parte della colpa è da attribuirsi a Wagner, con le sue posizioni antisemite. Che ingiustizia. Meyerbeer era una persona compassionevole, portatore di idee universaliste. Un brav'uomo. Ed è caduto nell'oblio. Quand'è stata l'ultima volta in cui hai sentito una sua opera? Ecco, vedi?»

Isabel sorseggiava il tè. Avrebbe dovuto darsi maggiormente da fare per riabilitare la reputazione di Giacomo Meyerbeer? No, aveva già abbastanza carne al fuoco così com'era. Meyerbeer lo lasciava a Derek.

L'amico proseguì: «Poi sto lavorando a un poema sinfonico. È quello che hai visto sul tavolo. Il tema è san Mungo, mi interessa parecchio. Suo nonno, come sai, fu re Lot di Orkney, che possedeva quella singolare collina a forma di foruncolo dalle parti di Haddington. Quando

Lot scoprì che un certo principe Owain aveva abusato di sua figlia – in una porcilaia, oltretutto – la fece buttar giù dalla collina, poveretta. La ragazza sopravvisse, al che venne cacciata dentro una barca e lasciata andare alla deriva nel Forth. Che sistema. Le ragazze madri al giorno d'oggi le trattiamo molto meglio, non trovi?»

Riempì di nuovo la tazza a Isabel. «Alla deriva nel Forth, toccò terra nei pressi di Culross. Lì venne salvata da san Serf in persona, e diede alla luce san Mungo. Così da un atto poco caritatevole e gentile può venire qualcosa di buono, alla fin della fiera.» Si interruppe. «Mi propongo di inquadrare questa vicenda in un poema sinfonico. O perlomeno, ci provo.»

Isabel sorrise. Ascoltare Derek l'aveva fatta sentire meglio. C'erano infinite ingiustizie e difficoltà al mondo, ma anche piccoli angoli di luce, che tenevano a bada l'oscurità.

21

Il biglietto di Jamie era breve e diretto al punto. «Non mi sorprenderei se non volessi più vedermi. Se fossi in te, io farei così. Posso solo dirti questo: non me ne sarei dovuto andare a quel modo dal St Honoré. È stato un gesto infantile e sciocco. Mi dispiace molto.»

«Caro Jamie» gli scrisse lei in risposta, «se c'è qualcuno che deve scusarsi, sono io. Avevo intenzione di telefonarti per dirti quanto mi dispiace ma non ho trovato il tempo in mezzo a tutto quanto... Ah, ecco. Non sarai d'accordo con quanto ho fatto, ma te lo devo raccontare comunque. Sono andata a West Linton e ho parlato con la madre. Non è stato facile. Ma adesso so tutto e credo pian piano di essere ormai vicina a una spiegazione esauriente e razionale dell'accaduto. Ne sono molto lieta, anche se tu non approvi questo che consideri un impicciarsi delle cose altrui. (Non sono un'impicciona, Jamie: se mai, la mia è una legittima ingerenza. È un'espressione legale che non mi dispiace. Indica qualcuno che si lascia coinvolgere. Chi però s'intromette senza un buon motivo commette un'ingerenza indebita. Interessante, no? Be', non è questo il mio caso.)

«Però ti devo delle scuse. Accettale, ti prego. Quello che provi per Cat è affar tuo e io non ho il diritto di criticarti. Mi prefiggo di non rifarlo. Insomma, perdonami per averti detto cosa fare, quando non me l'avevi nemmeno chiesto.

«C'è un'altra cosa. Sono molto felice che tu abbia deciso di non andare a Londra. La grande città è bellissima, ma sta bene dove sta, cioè a seicentocinquanta chilometri o giù di lì a sud di Edimburgo. I londinesi sono persone ottime, allegre, checché se ne dica, ma sono certa che sei molto più apprezzato a Edimburgo di quanto non saresti laggiù. Io, tanto per dirne una, ti apprezzo e so che anche Grace è d'accordo, e poi ci sono tutti i tuoi allievi, il cui talento musicale subirebbe un crollo in tua assenza. Insomma, l'abbiamo scampata bella tutti quanti.

«Sono troppo egoista? Direi di sì. Ecco, vado a cercare chissà quali ragioni per convincerti a restare a Edimburgo, mentre in realtà penso solo a me e a quanto mi mancherebbe la tua compagnia se partissi. Perciò tralascia i miei consigli su questo argomento e fa' quel che desideri, nel caso si presenti un'altra opportunità in futuro. Anch'io farò lo stesso. Anche se io non ho desiderio di andare da nessuna parte, con l'eccezione dell'Australia occidentale, della città di Mobile in Alabama, dell'Avana, di Buenos Aires, di...»

Finì la lettera, scrisse l'indirizzo e la posò sul tavolino dell'ingresso. Nel pomeriggio, uscendo per tornare a casa, Grace avrebbe preso la posta e l'avrebbe depositata nella cassetta delle lettere in cima alla strada. Jamie avrebbe ricevuto le sue scuse l'indomani. Poi l'avrebbe chiamato per dargli appuntamento per il giorno dopo. Avrebbe potuto chiedergli di portare gli spartiti e sarebbero andati nella sala della musica, lei al piano mentre lui cantava, man mano che scendeva la notte. La direttrice della «Rivista di etica applicata» (pianoforte) insieme al suo amico Jamie (tenore). Che scenetta edimburghese. Commovente.

Sorridendo all'idea, si chiese se per condurre una vita retta bisognava iniziare ogni giornata scrivendo lettere di scuse... Chi altro se ne aspettava da lei? Forse era stata un po' brusca nel suo rifiuto dell'articolo sul vizio presentato da quel tremendo professore australiano. Magari era un tipo gentile e sensibile, che si dichiarava a favore del vizio solo nel senso più teorico; forse aveva pianto sulla sponda di chissà quale corso d'acqua degli antipodi, quando aveva ricevuto il suo rifiuto... ma più probabilmente, no. I professori di filosofia australiani da lei conosciuti erano uomini tutti d'un pezzo. E non era stata maleducata nei suoi confronti: forse un po' brusca, ma maleducata no.

Andò in cucina, pensando alle buone maniere, all'amicizia e al modo in cui le lettere, e i regali, erano le uniche tracce rimaste di ritualità nei rapporti con gli amici. Altre culture avevano forme molto più elaborate per onorare e coltivare le amicizie. In Sudamerica, aveva letto, due uomini che diventavano amici potevano essere sottoposti a una sorta di cerimonia battesimale davanti a un tronco d'albero, diventando entrambi simbolicamente figliocci dell'albero, e perciò fratelli l'uno per l'altro. Era un'usanza strana, e noi eravamo semplicemente troppo occupati per organizzare cerimonie del genere: era più facile incontrarsi per un caffè. In Germania, dove si rispettavano le forme, c'erano pietre miliari semantiche che segnavano la nascita di un'amicizia. Cominciava quando si iniziava a darsi del *du*. Non bisognava arrischiarsi a dare del tu troppo in fretta ai propri amici tedeschi; in certi ambienti ci volevano anni. Isabel sorrise al ricordo di quanto le aveva raccontato un professore di Friburgo: dopo anni di conoscenza, lui e un collega si davano ancora formalmente del lei. Poi, una sera, quando il collega l'aveva invitato a casa sua per seguire un'importante partita di calcio alla televisione, in un momento di grande entusiasmo aveva gridato: «Guarda

Reinhard, la Germania ha segnato!» Immediatamente si era portato una mano alla bocca, imbarazzato da quella gaffe. Aveva dato del tu al collega che conosceva solo da qualche anno! Per fortuna, il suo ospite aveva preso bene la sua scorrettezza, e lì sui due piedi avevano deciso di cominciare a darsi del tu, brindando all'amicizia. La circostanza si prestava.

Isabel si era incuriosita. «Cosa succede se due colleghi decidono di darsi del *du* e poi litigano per qualche motivo? Si ritorna all'antico, a darsi del *sie*?»

Il suo amico ci aveva pensato su un po'. «È capitata una situazione del genere. Credo che sia successa a Bonn, tra professori di teologia. Dovettero tornare a darsi del lei, in modo formale. La cosa fece scalpore e se ne parla ancora, a Bonn.»

Accese la macchinetta del caffè e si mise a guardare dalla finestra intanto che l'apparecchio si scaldava, cominciando a emettere i suoi gorgoglii. Il gatto del vicino, arrogante e spocchioso, troneggiava sull'alto muro di pietra che divideva il giardino di Isabel dal suo, anche se quei confini umani il felino non li riconosceva di certo. I confini autentici, le demarcazioni gattesche del territorio, erano sorvegliati gelosamente, regolati da una serie di leggi di cui gli esseri umani nulla sapevano, ma che – nel sottobosco giuridico dei felini – avevano la stessa validità delle leggi scozzesi. Il gatto esitò, si girò e fissò Isabel di là dal vetro.

«Quel gatto sapeva che lo stavo guardando» disse Isabel mentre Grace entrava nella stanza. «Si è girato e mi ha guardata.»

«Sono telepatici» osservò Grace, senza scomporsi. «Lo sanno tutti.»

Isabel ci pensò su un momento. «Ieri ho discusso del paradiso con una persona. Ha detto che uno dei motivi per non credere al paradiso – anzi, a ogni forma di aldilà – è che sarebbe pieno di anime di animali, affollatissimo. Impossibile da amministrare.»

Grace sorrise. «È perché continua a pensare in termini concreti.» Poi, con l'aria di autorità di chi spiega com'è New York a chi non c'è mai stato, aggiunse: «I parametri fisici non si applicano all'aldilà».

«Ah no?» rispose Isabel. «Allora cani e gatti vanno all'altro mondo, come dice sempre lei. Li... li sentite, durante le vostre riunioni?»

Grace s'irrigidì. «Non deve avere una grande opinione dei nostri incontri. Eppure, le assicuro che sono cose serie.»

Isabel si affrettò a scusarsi... le seconde scuse della mattinata, e non erano ancora passate le dieci e mezzo. Grace accettò le scuse: «Sono abituata agli scettici. È normale».

Grace andò nell'ingresso a controllare la posta. «Il portalettere non è ancora arrivato» annunciò tornando indietro. «Ma qualcuno ha fatto scivolare questa sotto la porta.» Le porse una busta bianca senza francobollo su cui era stato scritto il nome di Isabel.

Lei l'appoggiò su un angolo della macchina del caffè, mentre se ne versava una tazza. A scrivere il suo nome era stata una mano sconosciuta, abbellendolo con un ghirigoro simile a quelli dei manoscritti rinascimentali. Allora capì: era una mano italiana.

Tenendo la tazza di caffè in una mano, prese la lettera con l'altra. Grace sbirciava lei e la lettera, sperando chiaramente che l'aprisse in cucina per scoprire l'identità del mittente. Era una questione privata, pensò Isabel, aveva a che vedere con la loro gita. Avrebbe letto la lettera nel suo studio. La busta aveva quella carica così difficile, se non impossibile, da identificare, che aleggiava sulle lettere d'amore e su quelle erotiche come un profumo.

Si mise accanto alla finestra dello studio ad aprirla, accorgendosi che le tremavano le mani, seppure solo leggermente. Poi vide l'intestazione della carta, «Prestonfield House»:

Cara Isabel Dalhousie,

mi dispiace di doverle scrivere e di non venire di persona. Oggi ho alcuni affari da sbrigare a Edimburgo e mi è difficile riuscire a vederla prima di partire.

Speravo davvero che saremmo riusciti a fare la nostra gita insieme. Ho trovato molti posti che mi sarebbe piaciuto visitare e lei sarebbe stata un'ottima guida, ne sono certo. Su una cartina ho scoperto anche l'esistenza di una località che si chiama Mellon Udrigle, nel nord-ovest. Dev'essere un posto bellissimo, con un nome del genere, e mi sarebbe piaciuto molto vederlo.

Purtroppo devo tornare in Italia. Ho trascurato gli affari, ma loro non hanno trascurato me. Parto domani. Prendo il traghetto a Rosyth, con la macchina. Spero che ci sarà l'occasione di rivederci, magari quando verrà dalle mie parti, in Italia. Nel frattempo ricorderò la nostra cena con grande piacere, e anche il viaggio che non abbiamo mai fatto. A volte i viaggi che non si fanno sono migliori di quelli che si compiono davvero, non le pare?

Cordialmente,

Tommaso

Abbassò la mano che teneva la lettera, e poi la lasciò cadere sulla moquette. Abbassò anche lo sguardo. Fluttuando la lettera era atterrata a faccia in giù e non si leggeva nulla: era solo un pezzo di carta. Si chinò, la raccolse e la rilesse. Poi si girò e andò alla scrivania. C'era del lavoro da sbrigare, e così avrebbe fatto. Non avrebbe pianto per cose che non erano successe. Certo che no.

Lesse diversi manoscritti. Uno era interessante, e lo mise sulla pila di quelli destinati a essere spediti agli esperti per una valutazione. Parlava della memoria, dell'oblio e del fatto che ricordare era un dovere. Il punto di partenza era che abbiamo il dovere di ricordare nomi e persone. Chi può pretendere qualcosa da noi moralmente, si aspetterà forse che perlomeno ci ricordiamo chi è.

Quanto a lungo si sarebbe ricordata di quell'italiano? Non per molto, decise. Forse fino alla settimana seguente. Poi si disse: sbaglio a pensarla così, e di grosso. Non bisognerebbe dimenticare per rabbia. Non ha fatto altro che flirtare con me, cosa che gli italiani fanno quasi per cortesia. Se c'è qualcuno che ha sbagliato, sono io: ho presunto che mi vedesse in modo diverso da quella che sono. Io sono la direttrice della «Rivista di etica applicata». Non sono una *femme fatale*, qualsiasi cosa voglia dire questo termine. Sono una filosofa che ha passato i quaranta. I miei amici sono uomini, non ragazzi. Questa sono io. Sarebbe bello, però, ogni tanto, essere qualcos'altro. Come... Compare Volpone, che la stava guardando dal giardino, anche se lei non riusciva a vederlo. La guardava dalla finestra, chiedendosi se la testa e le spalle che vedeva dietro la scrivania fossero attaccate a qualcos'altro, a un paio di zampe, per esempio. Oppure appartenevano a una creatura diversa, tutta testa e spalle? A questo ammontavano le elucubrazioni filosofiche di Compare Volpone; ma niente di più.

22

Ian aveva espresso qualche dubbio, come Isabel si aspettava, ma alla fine aveva acconsentito.

«Si tratta solo di andare a vederlo in carne e ossa» gli aveva detto. Guardandolo, si era accorta che non era convinto. Non si era arresa. «Mi sembra che ci sia una spiegazione del tutto razionale a quel che ti è successo. Hai ricevuto il cuore di un ragazzo morto in circostanze tristi. Tu sei stato sottoposto al trauma psicologico che chiunque nelle tue condizioni si poteva aspettare. Ti sei trovato faccia a faccia con la tua mortalità. Hai... be', sarà melodrammatico, ma hai visto la morte in faccia. Perciò hai accumulato forti sentimenti nei confronti della persona che ti ha salvato la vita.»

Ian l'aveva guardata con aria seria. «Sì. È tutto vero. È andata proprio così.»

«Queste emozioni hanno un prezzo» aveva proseguito Isabel. «È inevitabile. Si sono tramutate in sintomi fisici. È storia vecchia, succede di continuo. Non ha niente a che vedere con l'idea della memoria cellulare. Non c'entra niente.»

«E il viso? Perché dovrebbe essere quello di suo padre? Del suo, attenta, non del mio.»

«Il padre del cuore» aveva considerato Isabel. «Sarebbe un buon titolo per un libro o per una poesia, no? Magari *Il padre del mio cuore*.»

Ian aveva insistito. «Ma perché lui?»

Erano seduti a conversare a uno dei tavolini della gastronomia di Cat. Isabel aveva distolto lo sguardo, in direzione dell'altro capo del negozio, dove Eddie stava vendendo una baguette. Scherzava e rideva con il cliente. Ne ha fatti di passi avanti, aveva pensato. Si era rigirata a guardare Ian.

«Ci sono tre possibilità» aveva detto. «Una è che esista davvero una specie di memoria cellulare, e sinceramente non ne sono troppo convinta. Ho cercato di dimostrare una certa apertura mentale su questo punto, ma più ci penso più mi sembra difficile considerarla la vera causa. Ho consultato parte della letteratura esistente sulla memoria e in generale si ritiene che non ci siano prove convincenti dell'esistenza di un fenomeno del genere. Per ora, sono solo aneddoti scollegati. Non sono abbastanza new age da credere in cose di cui non ci sono prove concrete.» Ci pensò su un momento. Aveva esagerato? Forse doveva specificare. «Almeno, questo per quanto riguarda il funzionamento del corpo umano. E la memoria fa parte delle funzioni corporee, no? Insomma, a questo punto cosa resta?

«La seconda ipotesi è quella della pura e semplice coincidenza. Questa, penso, è più probabile di quanto si possa pensare di primo acchito. Nella vita ci troviamo spessissimo di fronte a coincidenze di ogni tipo.»

«E la terza ipotesi?» aveva chiesto lui.

«La terza è completamente razionale. In un'occasione imprecisata, dopo l'operazione, hai visto qualcosa che indicava che a donarti il cuore era stato un giovane di nome Gavin Macleod. Era lui il tuo benefattore. Poi, forse nella stessa occasione, hai visto una fotografia del padre di Gavin. Probabilmente non eri neppure consapevole che il tuo cervello stava tirando certe conclusioni.»

«Improbabile, davvero improbabile.»

Isabel aveva inarcato un sopracciglio. «E non è forse improbabile tutta questa faccenda? Non è improbabile che tu abbia provato questi sintomi... queste visioni? Eppure per te sono vere, no? Allora, se si verifica una cosa così improbabile, perché non si dovrebbero raggiungere nuovi livelli di improbabilità?» Si era interrotta, valutando l'effetto che queste considerazioni avevano su Ian. Si guardava i piedi, quasi imbarazzato. «Cos'hai da perdere, Ian?»

Per diversi minuti l'uomo non aveva detto nulla, ma alla fine l'aveva accettato: era per quello che ora si stavano dirigendo a West Linton, a bordo della vecchia auto svedese di Isabel. La guidava raramente, quella macchina, che emanava odore di pelle vecchia e rovinata; eppure, per quanto l'avesse trascurata per tutti quegli anni, la vecchia auto non si era mai rifiutata di partire. Me la tengo finché non muoio, aveva deciso Isabel, scelta che la faceva sentire legata a quell'auto in maniera peculiare, come partner uniti per tutta la vita.

Isabel era al volante, Ian accanto a lei, zitto e teso. Mentre si facevano strada nel traffico in uscita da Edimburgo, l'uomo fissava fuori dal finestrino; a Isabel parve incupito, come chi stava per essere punito, un carcerato trasferito in una prigione ancor più lontana. Anche mentre superavano Carlo's, e il cielo della sera si apriva a ovest mostrando squarci di luce, non rispose se non con un mormorio ai commenti di Isabel sul panorama della campagna. Lei lo lasciò ai suoi pensieri e al suo silenzio. Poco prima di arrivare a West Linton, però, Ian indicò a una certa distanza dalla strada una grande dimora di pietra con le finestre affacciate su un tratto di brughiera. Gli ultimi raggi del sole si riflettevano sul tetto della casa, tingendolo d'oro.

«Ho abitato lì» disse. «Ci sono rimasto tre settimane

durante la convalescenza. Appartiene a certi nostri amici, che ci hanno invitato a stare da loro.»

Isabel guardò la casa con la coda dell'occhio e poi tornò a guardare Ian.

«Hai abitato lì?»

«Sì. Da Jack e Sheila Scott. Siamo amici dai tempi dell'università. Li conosci?»

Lei sterzò su un piccolo spiazzo erboso ai lati della strada e fermò la macchina.

Ian fece una smorfia. «C'è qualcosa che non va?»

«Avresti dovuto dirmelo, Ian» rispose lei, spegnendo il motore.

L'uomo fece una faccia perplessa. «Della casa di Jack e Sheila? Perché mai?»

«Perché la risposta sta lì.» Si sentiva in collera con Ian, e le uscì una voce tagliente. «Andavi in paese?»

«Ogni tanto» rispose lui. «Di solito andavo a fare un giro in libreria. La conosci?»

Isabel annuì con impazienza. «Sì, la conosco. Ma dimmi, Ian, quando ci andavi vedevi qualcuno?»

«Be', certo, incontravo delle persone.»

Esitò per un momento. Erano vicini alla soluzione, vicinissimi. Ma non sapeva se osava sperare che fosse così semplice.

«E ci parlavi?»

L'uomo guardò dal finestrino il muro di pietra grigia che seguiva il ciglio della strada. «È difficile trovare qualcuno che sappia ancora tirar su muri a secco» commentò. «Guarda questo. Le pietre in cima sono cascate. Ma chi è che sa ripararli al giorno d'oggi? Chi sa ancora maneggiare la pietra?»

Isabel guardò il muro. Non voleva parlarne, in quel momento. «Con quelle persone, ci parlavi?» ripeté.

«Ma certo. Parlavo con il libraio. È un compositore, vero? Parlavo con lui e qualche volta con quelli che entravano in negozio. Mi aveva presentato alcuni dei suoi clienti. È un paesino piccolo, sai com'è.»

Isabel sapeva di non potersi aspettare la risposta che voleva dalla domanda successiva, ma la fece comunque. «Hai conosciuto un veterinario? Uno che abita in paese, vicino alla libreria?»

«Non ne ho idea» rispose Ian. «Può darsi. Non mi ricordo bene i dettagli. Ero ancora un po' confuso, all'epoca. Non ero uscito dall'ospedale da molto.» Si girò e la guardò, quasi con aria di rimprovero, si disse lei. «Faccio quel che posso, Isabel. Sai, non è facile, per me.»

Lei gli prese la mano tra le sue. «Lo so, Ian, mi dispiace. È che ormai siamo vicinissimi. Non parliamone più. Andiamo a incontrarlo e basta. Ormai ci starà aspettando.»

Era appena tornato dal lavoro e portava ancora il giubbotto, un'incerata verde impermeabile. Una delle tasche davanti era rigonfia a causa di quello che sembrava un flacone di pastiglie medicinali. Sotto il giubbotto s'intravedeva una cravatta rossa, che Isabel riconobbe: era della Dick Vet di Edimburgo, la facoltà di veterinaria.

Aprì loro la porta e li invitò ad accomodarsi con un cenno.

«Temo che sia il classico appartamento da scapolo» disse. «Volevo dare una pulita, ma sapete com'è...»

Isabel diede un'occhiata in giro. Non c'era troppo disordine, considerò, ma l'ambiente era spartano, come se non ci vivesse nessuno. Senza farsi notare, sbirciò Euan

Macleod. La fronte alta, gli occhi. Sì, non era molto diverso da Graeme. Ma il suo era un viso più cordiale, un po' più gentile.

«Avete detto che volevate incontrarmi per parlare di Gavin» continuò, invitandoli a sedersi. «Vi confesserò che ero un po' sorpreso. Sapete che io e mia moglie siamo separati? Che stiamo divorziando?»

Isabel annuì. «Sì, lo so.»

Euan proseguì guardando dritto in faccia Isabel, ma non aveva un tono di sfida. «Questo vuol dire che i ragazzi non li ho visti molto. Anzi, mia moglie me l'ha reso praticamente impossibile. Io ho deciso di non piantare grane. Solo la più piccola è minorenne. Gli altri due avrebbero potuto decidere da soli, a tempo debito.»

Isabel trattenne il respiro. Era una storia molto diversa da quanto le aveva detto la moglie. Del resto c'era da aspettarselo, in un matrimonio conclusosi con acrimonia. Entrambe le parti in causa potevano riscrivere la storia, a volte senza neppure rendersene conto. E tutt'e due finivano per credere alla propria versione dei fatti.

«Mi dispiace per suo figlio» disse Isabel.

L'uomo chinò il capo in segno di ringraziamento. «Grazie. Era un bravo ragazzo. Ma quella malattia... be', che dire? È stata una perdita terribile.»

«Sì. Ma nella tragedia si è potuto salvare qualcosa. È questo che siamo venuti a dirle, signor Macleod.»

Euan cominciò a parlare, mormorando qualcosa che Isabel non riuscì a cogliere, per tornare subito in silenzio.

«Sua moglie ha dato il consenso all'utilizzo del cuore di suo figlio» gli disse lei. «Gavin è stato un donatore. E il mio amico qui presente era il destinatario del trapianto. È grazie a lui se è ancora vivo.»

Euan rimase visibilmente scioccato. Tenne lo sguardo

fisso su Isabel, e poi si voltò verso Ian. Scosse il capo. Si coprì gli occhi con le mani.

Isabel si alzò, avvicinandoglisi. Gli posò una mano sulla spalla. «Immagino come si sente» sussurrò. «Le assicuro, la capisco. Il motivo per cui siamo venuti a trovarla è che Ian, il mio amico, aveva bisogno di dirle grazie. Spero lo comprenda.»

Euan si tolse le mani dagli occhi. Le lacrime gli scorrevano sulle guance. «Non ci sono andato» disse, con tono calmo. «Non avevo il coraggio. Non sarei riuscito ad affrontare il funerale. Non ci riuscivo. Non ce l'ho fatta...»

Isabel si chinò e lo abbracciò. «Non si deve rimproverare per questo. Sono sicura che lei è stato un buon padre per Gavin, e anche per gli altri.»

«Ci ho provato» rispose l'uomo. «Davvero. E anche con mia moglie.»

«Ne sono sicura.» Guardò Ian, che si alzò in piedi e la raggiunse accanto a Euan.

«Adesso mi ascolti attentamente» proseguì Isabel. «La prego, mi ascolti. Suo figlio continua a vivere nella vita di quest'uomo. E lui, che deve tanto a suo figlio, è venuto qui perché ha bisogno di esprimere la sua gratitudine. C'è dell'altro, però: lui può darle quell'addio che lei e suo figlio non siete riusciti a scambiarvi.» Allungò la mano per prendere quella di Ian e la rigirò, esponendo il polso. «Metti la mano qui, Euan. Senti il battito? Lo senti? È il cuore di tuo figlio. Tuo figlio ti perdonerà, sai, Euan? Ti perdonerà per qualsiasi cosa tu pensi ti debba perdonare. È così, vero, Ian?»

Ian cominciò a dire qualcosa, ma non riuscì a proseguire. Annuì e mise la mano su quella di Euan, stringendogliela forte, in segno di perdono e di gratitudine. Isabel li lasciò insieme per qualche minuto. Attraversò la stanza fino alla finestra e si mise a guardare il paese, le luci e il cielo che imbruniva. Aveva iniziato a piovere, piano, una pioggerella delicata che scendeva incerta e dolce sulle stradine del paese, sulla sua macchina svedese verde e sulle forme scure delle colline, là in fondo.

«Vedo che ha cominciato a piovere» disse lei. «E tra poco dobbiamo tornare a Edimburgo.»

Euan sollevò lo sguardo. Isabel vide che sorrideva e capì di averci visto giusto: in quei momenti era successo qualcosa. Aveva pensato che potesse accadere, ma non si era permessa di sperarci troppo, per timore di restare delusa. Spesso mi sbaglio, pensò, ma qualche volta ho ragione... come tutti.

23

Grace posò la posta sulla scrivania di Isabel.

«Stamattina non c'erano tante lettere» commentò. «Soltanto quattro, in effetti.»

«Quel che conta è la qualità» rispose Isabel facendo scorrere le buste. «Da New York, Melbourne, Londra e Edimburgo.»

«Quella che viene da Edimburgo è il conto della pescheria» precisò Grace. «Annusi la busta. I conti li scrivono in quell'ufficetto buffo che hanno sul retro. E quando li scrivono hanno le mani che puzzano di pesce. Si capisce al volo, quando ti mandano una lettera.»

Isabel si avvicinò al naso la busta marrone. «Capisco. Certo, una volta le persone si spedivano lettere profumate. Avevo una zia che ci metteva un profumo particolare. Mi piaceva tanto, da bambina. Non sono così sicura di pensarla ancora allo stesso modo.»

«Credo che a un certo punto si ritorni ai gusti dell'infanzia» disse Grace. «Da piccola mi piaceva tantissimo la torta di riso. Poi non l'ho potuta più vedere. Adesso devo ammettere che mi fa venire una certa acquolina in bocca.»

«Non era Lin Yutang che ha detto una cosa simile?» si chiese Isabel. «Qualcosa come: cos'è il patriottismo se non l'amore per le cose buone che si mangiavano da piccoli?»

Grace si mise a ridere. «Prima la pappa, poi l'etica. Sono d'accordo.»

Isabel iniziò a dire «Brecht...» ma si fermò in tempo. Prese la busta con il timbro di New York. La aprì con il tagliacarte e ne estrasse una lettera. Per qualche minuto rimase in silenzio, immersa nella lettura. Grace la osservava.

Isabel sorrise. «È una lettera importantissima, Grace. È del professor Edward Mendelson, esecutore del testamento letterario di W.H. Auden. Gli ho scritto e questa è la sua risposta.»

Grace rimase colpita. Non aveva mai letto Auden, ma l'aveva sentito citare più e più volte da Isabel. «Prima o poi lo leggerò» aveva detto, ma entrambe dubitavano che l'avrebbe mai fatto. La governante, la poesia la trattava con il «rasoio di Grace».

«Gli ho scritto per proporgli un'idea» proseguì Isabel. «Auden ha scritto una poesia in cui usa immagini che ricordano da vicino Burns. In *Il mio amore è come una rosa rossa rossa* c'è un verso in cui si parla di amare qualcuno 'finché non s'asciugheranno tutti i mari'. Se la ricorda, vero?»

«Certo» rispose Grace. «Adoro quella canzone. Kenneth McKellar la canta benissimo. Mi ha fatto innamorare di lui. Ma dev'esserci tanta gente che se ne innamora... proprio come tutti perdevano la testa per Placido Domingo.»

«Io non ricordo di essermi mai innamorata di Placido Domingo» commentò Isabel. «Che sbadata che sono!»

«Allora, Auden? Cosa c'entra con Burns?»

«Per qualche tempo WHA ha insegnato in Scozia. Da giovanissimo. Insegnava in un collegio di Helensburgh. E probabilmente insegnava Burns ai bambini. All'epoca tutti gli scolari di Scozia imparavano le poesie di Burns.

Tra l'altro sarebbe bene che gliele insegnassero ancora. A lei le hanno insegnate, vero? A me, sì.»

«Mi hanno insegnato *A un topo*, e metà di *Tam O' Shanter*.»

«E *A Man's a Man for a' That*?»

«Sì» rispose Grace. Per un momento le due donne si guardarono e Isabel pensò: questa è una delle cose che ci unisce. Con tutti i privilegi di cui ho goduto, con tutto quello che mi è stato dato senza alcuno sforzo da parte mia, sono legata agli altri edimburghesi da quella comune umanità che Burns ci ha descritto. Siamo uguali. Nessuno di noi è superiore agli altri. Siamo uguali. Era così che Isabel voleva che fosse. Non avrebbe accettato un altro sistema. Era quello il motivo per cui, alla riapertura del Parlamento scozzese, vacante per centinaia d'anni, quando una donna si era alzata in piedi a cantare *A Man's a Man for a' That*, pochissimi in cuor loro avevano dissentito. Era la roccia a cui stava ancorato il paese, la sua cultura: una costituzione, una carta dei diritti, stilata sotto forma di canzone.

«Ho scritto a Edward Mendelson» proseguì Isabel «perché mi è parso di cogliere l'influenza di Burns in alcuni versi di Auden. Il professore mi ha risposto.»

«Dicendo?»

«Gli pare possibile. Dice di avere alcune lettere in cui Auden accenna a Burns.»

L'espressione di Grace faceva capire che non era rimasta granché colpita. «Devo tornare alle mie faccende. La lascio al suo...»

«Lavoro» disse Isabel, concludendo la frase con la parola che Grace avrebbe forse pronunciato tra virgolette. Sapeva bene che la governante non considerava le ore da lei passate nello studio come un lavoro vero e proprio. Era ovvio. Per chi era abituato al lavoro fisico, stare seduti a una scrivania non sembrava una gran fatica.

Grace uscì e lei continuò a smistare la corrispondenza, dedicandosi a una serie di bozze che aveva trascurato nei giorni precedenti. Non rimpiangeva il tempo passato lontano dalla scrivania, e in particolare il viaggio a West Linton del giorno prima. Per quanto la riguardava, aveva compiuto il proprio dovere nei confronti di Ian, mettendo la parola fine a tutta la questione. Durante il viaggio di ritorno da West Linton, Ian era stato loquace.

«Avevi ragione. Avevo bisogno di dirgli grazie. Probabilmente era questo la causa di tutto.»

«Bene» aveva risposto Isabel, riflettendo su quanto poteva essere forte il bisogno di ringraziare. «Credi che sarà la fine di quelle... come vogliamo chiamarle? Esperienze?»

«Non lo so. Però mi sento davvero cambiato.»

«E abbiamo dato un taglio a tutte quelle sciocchezze sulla memoria cellulare» aveva proseguito lei. «Possiamo riaffermare la nostra fede nella razionalità.»

«Sei sicura che io l'abbia incontrato o che me l'abbiano indicato, vero?» aveva chiesto Ian. Sembrava perplesso.

«È la spiegazione più plausibile, no? Il paese è piccolo. Avranno saputo tutti della morte del ragazzo. Ne avranno parlato. Probabilmente ne avrai sentito parlare dai tuoi ospiti, anche se indirettamente: un commento casuale a colazione, o qualcosa del genere. Il cervello, però, assorbe cose del genere e le archivia. Perciò sapevi, senza rendertene conto, che Euan era l'uomo che volevi ringraziare. Ti sembra plausibile?»

Ian aveva guardato fuori dal finestrino i campi bui che passavano veloci. «Può darsi.»

«C'è un'altra cosa» aveva aggiunto Isabel. «La risoluzione. I musicisti sanno bene cos'è, sai? Un brano musicale richiede una risoluzione, esige di andare a finire su una nota particolare, altrimenti suona completamente sbagliato. Lo stesso vale per la nostra vita. È la stessa identica cosa.»

Ian non aveva risposto alla sua affermazione, ma ci aveva pensato per tutto il viaggio fino a Edimburgo, continuando a rifletterci per il resto della serata, silente e grato. Non era convinto dalla spiegazione di Isabel, poteva anche essere la verità, ma a lui non sembrava vera. Ma che importanza aveva? Importava davvero il modo in cui si arrivava alla meta desiderata, se comunque alla fine ci si arrivava?

Jamie ricevette un invito a cena per quella sera e accettò. Doveva portare qualcosa da cantare, disse Isabel: lei l'avrebbe accompagnato. Poteva scegliere lui.

Il giovane arrivò alle sette in punto, reduce da una prova alla Queen's Hall, lamentandosi a gran voce del comportamento insensato del direttore. Isabel gli diede un bicchiere di vino e gli fece strada fino alla sala della musica. Sui fornelli, in cucina, c'era uno stufato di pesce, mentre sul tavolo spiccava il pane francese fresco. Accanto, una candela spenta, e tovaglioli olandesi inamidati con ricami di Delft.

Isabel sedette al piano e prese gli spartiti che Jamie le porgeva. Schubert e Schumann. Erano autori tranquilli, piuttosto *gemütlich*, e Isabel capì che non lo appassionavano.

«Canta qualcosa in cui credi» gli disse dopo che furono giunti al termine della terza canzone.

Jamie sorrise. «Buona idea» disse. «Questi mi hanno annoiato.» Guardò nella cartelletta ed estrasse un paio di spartiti, che le porse.

«Musica giacobita!» esclamò lei. «*Derwentwater's Farewell*. Di cosa si tratta?»

«È un lamento funebre» spiegò Jamie. «È un estratto di *Jacobite Relics* di Hogg. Parla del povero lord Derwentwater, messo a morte perché aveva partecipato all'insurrezione. Elenca tutte le cose che non vedrà più. È tristissimo.»

«Capisco» disse Isabel, dando un'occhiata al testo. «E questo stampato qui in fondo, è il suo discorso?»

«Sì. Lo trovo particolarmente commovente. L'ha pronunciato qualche minuto prima di essere giustiziato. Era un amico leale di Giacomo III. Avevano passato l'infanzia insieme nel palazzo di St Germain.»

«Un amico fedele» considerò Isabel, guardando lo spartito. «Il bene più grande: l'amicizia.»

«Sì, immagino di sì» rispose Jamie. Si chinò in avanti, indicando un passaggio del discorso. «Guarda cosa dice qui. Verso la fine, a pochi minuti dalla morte. 'Sono perfettamente in pace con tutto il mondo.'»

Isabel rimase in silenzio. Sono perfettamente in pace con tutto il mondo, si disse. Sono perfettamente in pace con tutto il mondo. La risoluzione.

«E qui, ancora» aggiunse Jamie. «Guarda. Qui dice: 'Perdòno liberamente le falsità, su di me ingiustamente riportate'. Poi va al patibolo.»

«Si comportavano con una tale dignità» disse Isabel. «Non tutti, magari, ma moltissimi sì. Pensa a Maria Stuarda. Era proprio un mondo diverso.»

«Sì. È vero» concordò Jamie. «Ma noi viviamo in questo. Cominciamo.»

Il giovane cantò il lamento funebre e una volta concluso il brano Isabel si alzò dal pianoforte, chiudendo il coperchio della tastiera. «Stufato di pesce» annunciò. «E un altro bicchiere di vino.»

Al tavolo, con la candela accesa, usarono il pane francese per raccogliere lo stufato dal bordo del piatto. Poi Jamie, che era di fronte alla finestra, si bloccò di colpo. «Di fuori» sussurrò. «Fuori dalla finestra.»

Isabel si girò, restando seduta. Lo fece lentamente, perché aveva indovinato di cosa, anzi di chi si trattava e non voleva spaventarlo con un movimento brusco.

Compare Volpone guardò dentro casa. Vide due persone. Le vide alzare nella sua direzione i bicchieri di vino, liquido che ai suoi occhi parve sospeso in aria, come per miracolo.

Romanzi di

ALEXANDER McCALL SMITH

in edizione Guanda

I casi di Precious Ramotswe
Le lacrime della giraffa
Morale e belle ragazze
Un peana per le zebre
Il tè è sempre una soluzione
Un gruppo di allegre signore
Scarpe azzurre e felicità
Il buon marito

I casi di Isabel Dalhousie
Il club dei filosofi dilettanti
Amici, amanti, cioccolato
Il piacere sottile della pioggia
L'uso sapiente delle buone maniere

Finito di stampare nel mese di giugno 2009
per conto della TEA S.p.A.
dalla Mondadori Printing S.p.A.
Stabilimento N.S.M. - Cles (TN)
Printed in Italy

TEADUE
Periodico settimanale del 9.1.2008
Direttore responsabile: Stefano Mauri
Registrazione del Tribunale di Milano
n. 565 del 10.7.1989